赤ちゃんから遊べる

わらべうたあそび55

久津摩英子 編著

チャイルド本社

はじめに

　街に音や映像があふれ、保育園、幼稚園、家庭までに、新しい音楽や映像が入り込んできています。
　子どもが育つ環境には、「おとなが肉声で語りかけ、あやしたり歌ったりするのが一番です」とメディアや本で取り上げられ、保育現場で保護者に言い続け、実践してきました。しかし、現在の子育て環境はその反対の方向に進んでいるようです。家庭では、電化製品がコンピュータで合成された音声で指示したり、答えたりするようになり、便利になりましたが、人と人とのコミュニケーション力はますます低下していくことでしょう。

　昔から子どもが生まれると、その家はにぎやかになると言われてきました。赤ちゃんをあやしたり、話しかけたり、歌いかけたりしながら、子どもと楽しく過ごすからでしょう。おとなから子どもへ、子どもから子どもへ、遊び歌い継がれ、だれでも一度は遊び、歌ったことがある「わらべうた」が伝承されなくなり、寂しいかぎりです。
　長年子どもとかかわるなかで、「わらべうた」が子どもとおとな、子どもと子どもの心と心をつなぐすばらしいあそびであることを実感し、実践してきました。子どもの文化や子育て支援への関心も大きくなり、子どもの育つ環境をなんとかしなくてはという活動も盛んになってきていることは、うれしいことです。

　保育園や幼稚園の保育者のみなさん、子育て中のお父さん、お母さん、子育て支援にかかわる方々が、小さいときに遊んだ「わらべうた」を思い出すきっかけになればと願い、本書にまとめました。
　いつの時代も、子どもはあそびの天才です。周りのおとながまず楽しく歌って遊びましょう！　そして子どものあそびの心を育てましょう！

久津摩　英子

もくじ

0歳児

1歳児

2歳児

3歳児

4・5歳児

0歳児

顔あそび

いないいないばあ

いつ顔が出てくるのかな……。赤ちゃんはドキドキ待っています。
ここ一番の笑顔で「ばあ」しましょう。

いない　いない

①両手で顔を隠す。

ばあ

②両手を左右に開いて、笑った顔を出す。

ポイント

- 昔から、赤ちゃんをあやすときに歌われてきたあそびです。
- 「いない　いない」から「ばあ」になるまでのタイミングが大切です。赤ちゃんは、隠れてしまった大好きな人がいつ顔を出してくれるのか待っています。「ばあ」のときは、ここ一番の笑顔を見せてあげましょう。

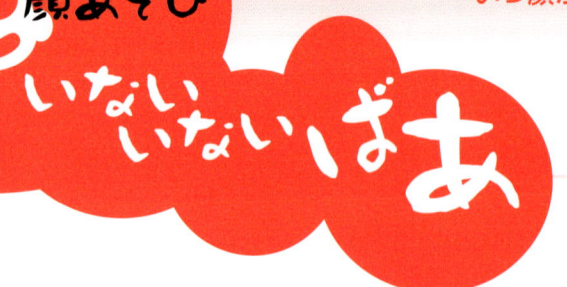

バリエーション

何回も繰り返し遊んで慣れてきたら、「ばあ」の声色を変えたり、百面相したりして遊んでみましょう。

高月齢児には、カーテンやハンカチ、スカーフなどの布を使ったり、家具や物の後ろに隠れたりすると、楽しく遊べます。

おまけの一言

「語りかけ」は「わらべうた」？

若いお母さんに、「赤ちゃんと遊ぶって、どうやって？」とよく聞かれます。兄弟も少なく身近に赤ちゃんがいない環境で育ち、赤ちゃんと遊ぶ機会のなかった年代の方には当然のことですね。

月齢の低い赤ちゃんの場合は、まず顔を見て、赤ちゃんの声をまねしてみましょう。「うっくーん」「あーあー」「気持ちいいのねー」。このやりとりが、周りの人とのかかわりかたを学ぶ大切な一歩です。

赤ちゃんをあやすのは、おとなと赤ちゃんが向き合って顔を見て、目と目で見つめ合い、ことばを通わせて、心が通じ合うことです。赤ちゃんに語りかけるときは、少し高めの声でゆっくりと、リズミカルに語りかけてください。それが「わらべうた」です。「あなたのわらべうた」でいいのです。赤ちゃんのときにたくさん歌ってあげましょう。

顔あそび

おでこさんをまいて

赤ちゃんの顔で遊んじゃお！
あふれんばかりの笑顔が広がります。

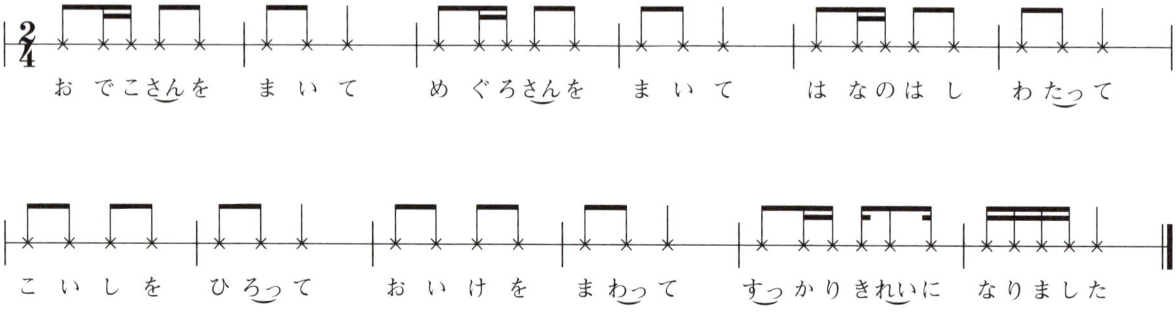
おでこさんを まいて めぐろさんを まいて はなのはし わたって
こいしを ひろって おいけを まわって すっかりきれいに なりました

おでこさんを　まいて

①額を4回拭う。

めぐろさんを　まいて

②目の周りを、片方ずつ拭うようになでる。

はなのはし　わたって

③鼻筋を上から下に2回なでる。

こいしを　ひろって

④鼻の横を、親指、ひとさし指、中指の3本で軽くつまむようにして、右、左、右、左と触る。

おいけを　まわって

⑤口の周りを拭うようになでる。

すっかり　きれいになりまし

⑥顔の周りを拭うようになでる。

た

⑦頭の上に軽く手を置く。

ポイント

- 月齢が低い赤ちゃんとは、片手で横抱きにして、歌いながらもう片方の手で遊びましょう。
- お座りができるようになったら、向かい合って見つめ合いながら遊ぶと、喜んでいるのか、嫌がっているのか、赤ちゃんの表情を確かめながら遊べます。

おまけの一言

昔、赤ちゃんが産まれて産湯を使うときに、歌いながら赤ちゃんの顔をガーゼで拭ったそうです。保育園で、シャワーの後など顔を拭くときに、歌いながら拭いてあげると、嫌がらずにいつのまにか拭き終わっていました。

顔あそび

にんどころ

赤ちゃん、だれに似ているのかな？
命がつながっているから、みんなに似ています。

ポイント

●顔を触られるのがいやな時期もあります。そんなときはおとなの顔を触りながら歌って遊んでみてください。そのうち顔を出して遊んでほしくなるのを待ちましょう。

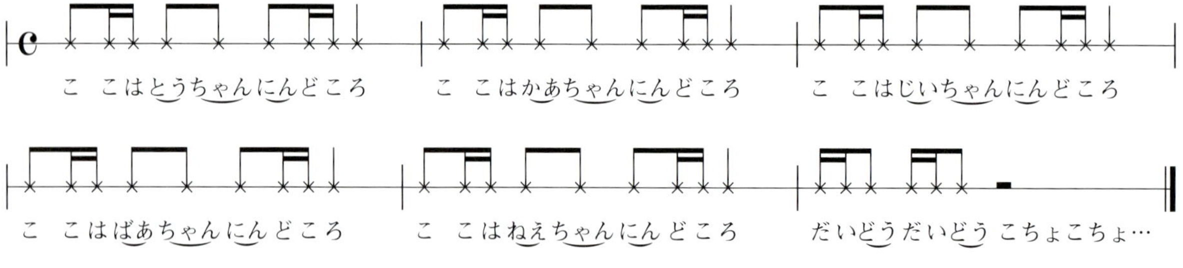

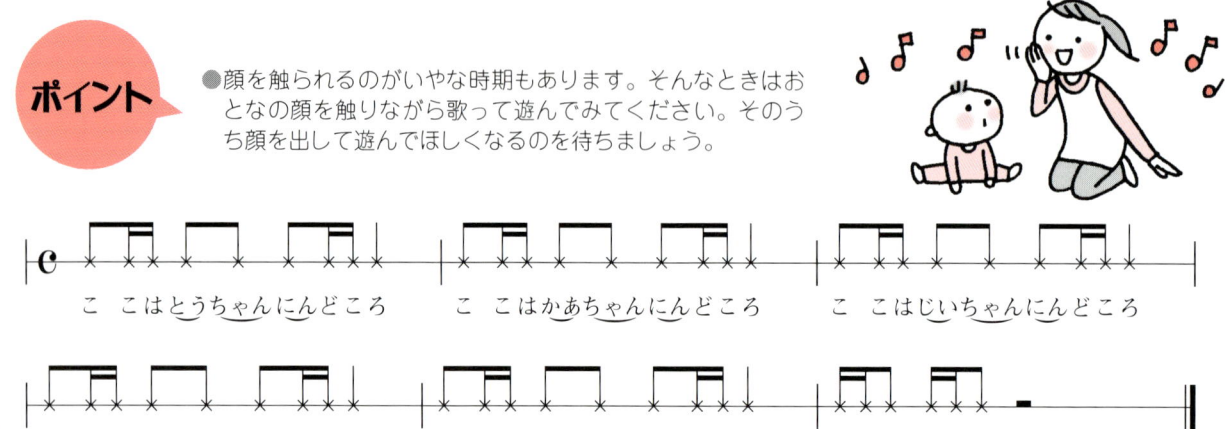

ここは　とうちゃん　にんどころ

①ひとさし指で、右ほおを４回軽くつつく。

ここは　かあちゃん　にんどころ

②左ほおを４回軽くつつく。

ここは　じいちゃん　にんどころ

③おでこを軽く４回つつく。

ここは　ばあちゃん　にんどころ

④あごを４回軽くつつく。

ここは　ねえちゃん　にんどころ

⑤鼻を４回軽くつつく。(「ねえちゃん」は「にいちゃん」でもよい)

だいどう　だいどう

⑥顔の周りを２回なでる。

こちょ　こちょ…

⑦あごの下をくすぐる。

ポイント

- 「だいどう　だいどう」から「こちょ　こちょ」の間のタイミングを変化させると、「くるぞ　くるぞ」と赤ちゃんの気持ちが盛り上がります。
- ゆったりとしたテンポで歌って遊びましょう。

おまけの一言

「にんどころ」は似ているところという意味で、昔はおばあちゃんが赤ちゃんを抱いて「ここは父ちゃんに似ているね」と歌ってあげたそうです。

このわらべうたは、「お父さん、そのまたお父さんに似ているね」と、かわいさを抑えきれずに歌ううたです。「あなたがここにいるのは、お父さん、お母さん、おじいちゃん、おばあちゃんと命がずーっとつながっているからよ」という思いを込めて歌ってあげましょう。

赤あそび べろべろおばけ

布に隠れて見えなくなって……「ばあ」。
赤ちゃんはわくわくして待っています。

おまけの一言

赤ちゃんは「いないいないばあ」が大好き！　大好きな人が一瞬見えなくなってドキドキしたあと、「ばあ」と出てくる期待感が、赤ちゃんの心や体を緊張と弛緩で成長させてくれる大事なあそびです。

赤ちゃんの顔を見て、目と目で見つめ合い、肩の力を抜いて、顔の筋肉をほぐして遊んでみましょう。いつのまにか赤ちゃんの笑顔の魔法にかかってしまいますよ。

べろべろ　おばけが　でたぞ

①広げたハンカチの上の両端を両手で持ち、顔の前で上下に振る。

あかちゃんおばけ　べろべろ　ぱっ！

②ハンカチの中央を片手でつまみ、左胸から右胸前で振りながら肩のほうに振り上げる。

またまたでたぞ　かあさんおばけ

③1を繰り返す。

それでは　いっしょに

④ハンカチを頭にかぶる。

いない　いない　ばあ

⑤ハンカチの左右の隅を下に引く。

べろべろ　ぱぁ！

⑥ハンカチの片隅を持ち、振りながら少し飛ばす。

あーら　こんにちは！

⑦両手で顔を隠し、顔の左右に手を開く。

手あそび

ちょちちょち あわわ

「ちょちちょち」「あわわ」「てんてん」……。
ことばの響きがおもしろく、楽しさが広がります。

膝の上に乗せて赤ちゃんの手を持って遊ぶか、
向かい合って歌いながら遊びましょう。

ちょち　ちょち
①ゆっくり 2 回手をたたく。

あわわ
②口を開けて声を出しながら、手を口に 3 回あてる。

かいぐり　かいぐり
③両手をグーにして、上下にぐるぐる回す。

とっとの　め
④片方の手のひらをひとさし指で 3 回つつく。

おつむ　てんてん
⑤両手を頭にもっていき、軽く 2 回触る。

ひじ　ぽんぽん
⑥片手をひじにもっていき、軽く 2 回触る。

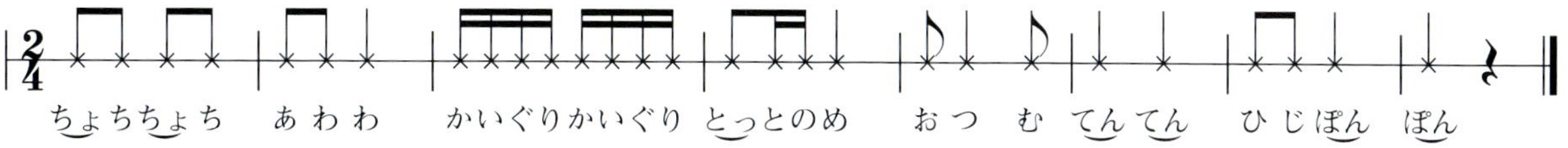

ちょちちょち　あわわ　かいぐりかいぐり　とっとのめ　おつ　む　てんてん　ひじぽん　ぽん

バリエーション

最後の「ひじ　とんとん」の「ひじ」を、おなか、膝、足、肩、胸などに替えて、触れられる楽しさが感じられるように遊んでみましょう。

肩

おなか

胸

膝

ポイント

●赤ちゃんが生まれるとおばあちゃんがにぎやかになると言われたものです。まだ生まれたてのころから歌ってあげましょう。生後1か月くらいまでは、振りはつけずに顔を見ながら歌うようにし、だんだんに振りをつけていきます。

おまけの一言

「ちょち」は手打ちのなまりです。「とっと」は「とと」で、鳥や魚の幼児語。ここではニワトリのことです。「おつむ」は「おつむり」の略で、「あたま」の幼児語です。

ふれあいあそび

ちゅちゅこっことまれ

「とんでけ〜」がおもしろすぎ。
赤ちゃんにおおうけです。

ポイント

- 月齢が低い子は、膝に乗せて後ろから抱えるようにして手を持って遊びましょう。
- お座りができるようになったら、向かい合って遊びましょう。

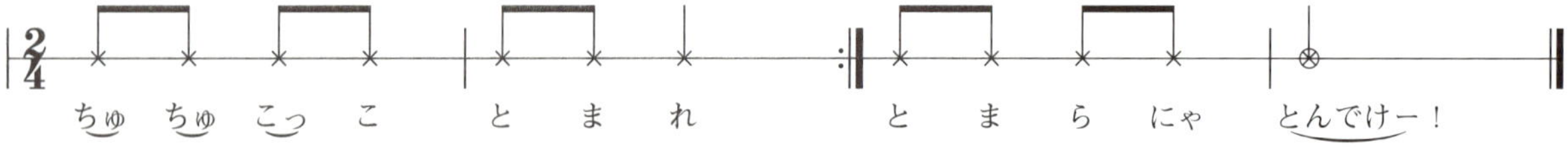
2/4
ちゅ ちゅ こっ こ と ま れ
と ま ら にゃ とんでけー！

ちゅ　ちゅ　こっこ　とまれ　とまらにゃ

①赤ちゃんの片手を持ち、手の甲をひとさし指で軽くつつく。

とんでけー！

②遠くを指さすように、ひとさし指を上のほうに上げる。

バリエーション

おむつ替えのときなど裸のときに、足を持って、足の裏や甲をつついて遊び、「とんでけー」で、おなかやわき腹、腰をくすぐって遊ぶ。

遊びかたを覚えたら、ほお、鼻、肩、胸など、体のいろいろなところを触って遊んでみよう。

<布やお手玉を使って遊ぶ>

布やお手玉を片手に持ち、もう片方の手のひらにのせて、歌いながら上下させ、「とんでけー」で遠くへ飛ばす。

かごや箱の中に、お手玉や布をいくつか入れて持ち、歌いながら１個（１枚）ずつ出して遊ぶ。

「とんでけー」でひとりに1つずつ渡していっても楽しいですよ。

ふれあいあそび

いちり にり さんり

「しりしりしりしり」で、こちょこちょ～。
くすぐりあそびって、おもしろ～い！

おまけの一言

赤ちゃんは、体に触られると喜びます。くすぐりあそびは体に触れることで刺激を与え、いろいろな機能の発達を助けてくれると言われています。衣服でおおわれている部分をくすぐるのは、おむつ替えのときや、お風呂のあと、着替えのときなどがチャンスです。

体に触れて遊ぶふれあいあそびは、何歳になっても楽しいもの。小学生でも喜んで遊びますので、できる限り遊んであげましょう。

おむつ替えのときなど寝かせて遊びます。

いちり
①足首を上から軽く触る。

にり
②両膝を軽く触る。

さんり
③足の付け根を軽く触る。

しりしりしりしり
④おしりをくすぐる。

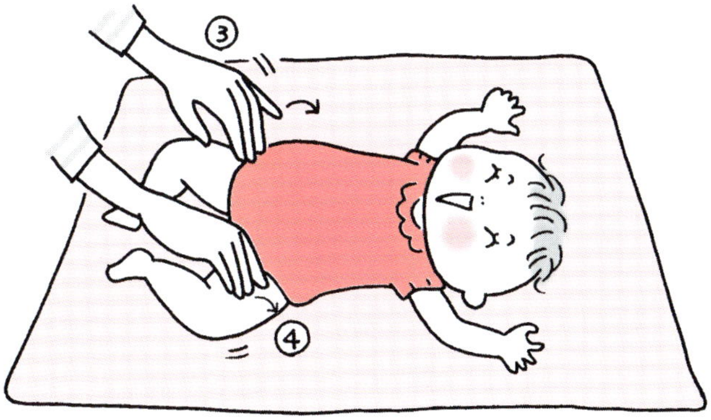

バリエーション

お座りできるようになったら、向かい合って腕で遊んでみましょう。

いちり
①両手で子どもの手首を軽くにぎる。

にり
②両ひじを軽くにぎる。

さんり
③腕の肩の下（付け根）のところを軽くにぎる。

しりしりしりしり
④首をくすぐる。

ポイント

- 歌いながら体中のいろいろなところを触って遊んでみましょう。
- 遊ぶときは、リズミカルに唱えて遊びましょう。気持ちよい感覚といっしょに響く心地よいことばのリズムは、すーっと体に入り記憶されていきます。

こもりうた

おやゆびねむれ

ゆっくり、ゆったり、歌ってあげましょう。
最後の「ねんねしな」で、ほ〜らもう夢の中……。

だっこして揺すりながら、布団に寝かせて布団の上から、さするようにしながらゆったりと歌ってあげましょう。
繰り返し歌ってあげると、しぜんに眠りにいざなえます。

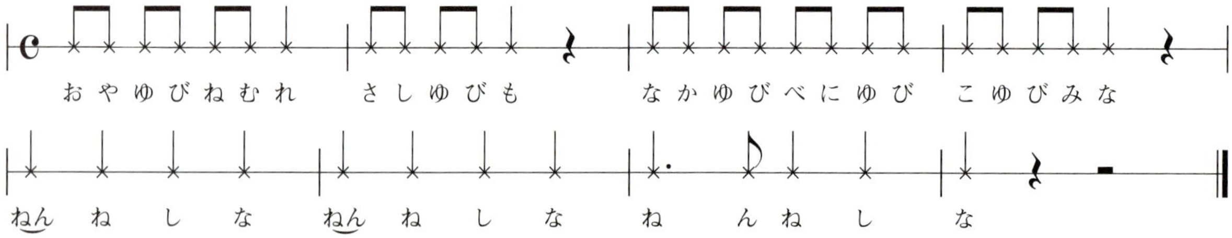
おやゆびねむれ　さしゆびも　なかゆびべにゆび　こゆびみな
ねんねしな　ねんねしな　ねんねしな

ポイント

●指の名前を、寝かしつけている子どもの名前に替えて歌ってあげると、子どもの心に寄り添うことができます。私は保育園では、ひとりでなく5人も6人もの名前を入れて歌ってあげていました。

おまけの一言

「べにゆび」とは薬指のこと。昔の人が薬指で紅（口紅）をぬっていたことから、薬指のことを「べにゆび」と呼んでいました。

バリエーション

赤ちゃんを膝の上に乗せて、後ろから抱えるようにします。
赤ちゃんの片方の手を、手のひらに上向きに乗せ、もう片方の手で赤ちゃんの指を寝かせていきます。

おやゆび　ねむれ
①親指をゆっくり曲げる。

さしゆびも
②ひとさし指をゆっくり曲げる。

なかゆび
③中指を曲げる。

べにゆび
④薬指を曲げる。

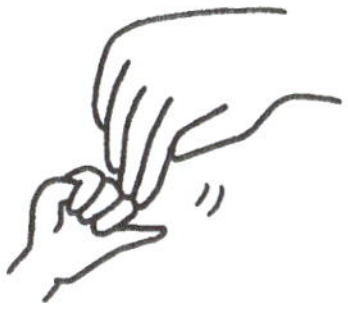

こゆび　みな
⑤小指をゆっくり曲げる。

ねんね
⑥曲げた小指を開く。

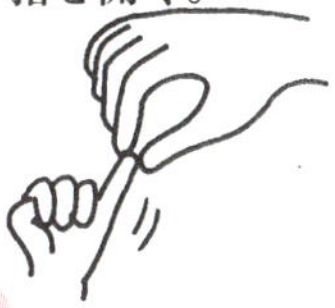

しな
⑦曲げた薬指を開く。

ねんね
⑧曲げた中指を開く。

しな
⑨曲げたひとさし指を開く。

ねん
⑩曲げた親指を開く。

ねし
⑪親指を曲げる。

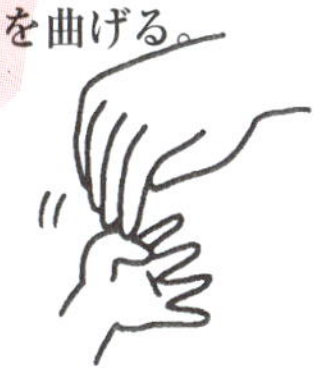

な
⑫残りの4本の指をなでながら、親指を包むようにして寝かせる。

ゆっくり、ゆったり、歌ってあげましょう。
指を寝かせたり、起こしたりと、指1本1本に刺激を与えてあげましょう。脳の活動も活発になります。

<おとなが歌ってみせるあそび>

・歌いながら、片手で自分のもう片方の指を寝かせていく。
・「な」でみんな眠らせたら、「みんな、ねんねしたね。じゃあ、お布団をかけてあげましょうね」と、眠っているほうの手にハンカチをかける。
・「ねんねしな　ねんねしな　ねんねしな」と歌いながら、ハンカチの上から軽くさするようにする。

・ちょっと間をおいて「おや？　だれか起きてるね」と言いながら、ハンカチの中の指のどれかを起こす。
・「だれでしょうね、起きているのは？」と子どもたちに聞く。
・「おにいさん指」「おかあさん指」と子どもたちが答えたら、「じゃあハンカチのお布団とってみて」と子どもにハンカチをとってもらう。

「残念。おとうさん指でした」と、あてっこすることもできます。

ふれあいあそび

ぼーず ぼーず

食べたくなるくらいかわいいけど、
「ぺしょん！」しちゃいます。

ぼーず　ぼーず　かわいときゃ　かわいけど　にくいときゃ

①両足の膝小僧を、ゆっくり順々になでる。

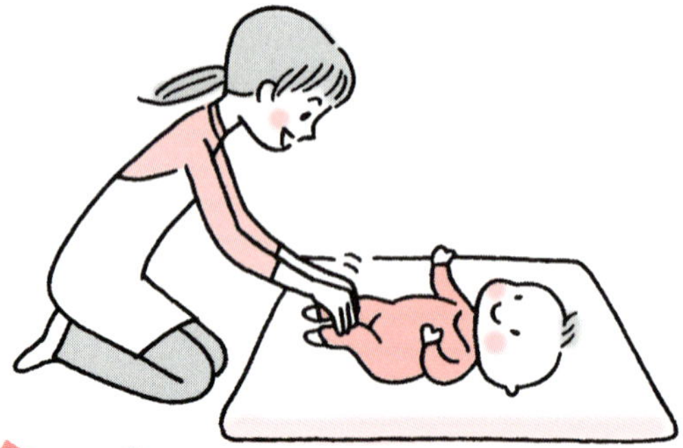

ぺしょん

②膝小僧を軽く打って止める。

おまけの一言

「かわいい、かわいい、かわいくて食べたくなるくらい」、でもちょっとふざけて、「憎いときゃ、ぺしょん」と歌う楽しい唱えうたです。子どもの膝や頭を触って唱えて遊んでください。子育てに疲れてストレスがたまったら、歌ってみましょう。きっとスーッと肩のおもしが軽くなりますよ。

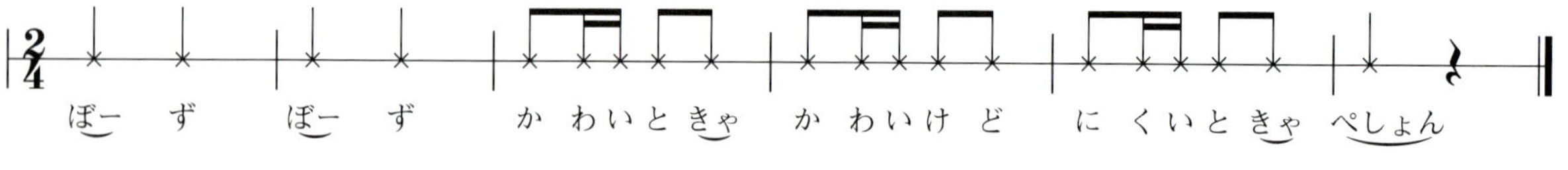

1歳児

顔あそび だるまさん だるまさん

「あっぷっぷ～」でおもしろい顔にチャレンジ！
さ～て、どんなオモシロ顔ができるかな～。

おとなが足を伸ばして座り、子どもを向かい合わせに膝の上に乗せます。向かい合って座ってもよいでしょう。

だるまさん だるまさん にらめっこしましょ わらうとまけよ

①リズムに合わせて歌いながら膝を上下させたり、体や顔を上下に揺すったりして、相手の顔を見つめながら、どんな顔にしようかなーと準備する。

あっ　ぷっ　ぷ

②ほおをふくらませ、おもしろい顔をする。

ポイント

- ふくらませたほおに指を当ててみたり、指でほおをつまんで引っ張ったり、あっかんべーをしたり、くちびるを思いきりすぼめたり、鼻の頭を指で押してぶーちゃんにしたり、耳を両側に引っ張ってゾウさんにしたり、両手でほおをひねり上げたり……、おもしろい顔にチャレンジしてみましょう。
- にらめっこは、「あっぷっぷ」で互いにいろんな顔をして大笑いする、楽しいあそびです。乳児と遊ぶときは、「笑うと負けよ」という遊びかたよりも、おもしろい顔をまねしたり、声を出したりして、いっしょに大笑いして遊んでください。おとなも子どものころに戻って、思いきりおもしろい顔をして遊びましょう。

顔あそび

でこちゃん はなちゃん

顔をツンツンつつけば子どもは大喜び！
「ぽ〜ぽ」のところはもっと楽しいよ。

子どもと向かい合い、目を合わせて遊びましょう。

でこちゃん
①ひとさし指で子どもの額を２回つつく。

はなちゃん
②鼻の頭を軽く２回つつく。

きしゃ　ぽー
③両方のひとさし指で子どものほおに円を2回描く。

ぽ
④子どものほおをひとさし指で軽く押さえる。

ポイント

- ゆっくり落ち着いたテンポで、子どもの表情を見ながら歌ってあげましょう。
- あそびに慣れてきたら、「ぽ〜ぽ」のところを、いろいろアレンジしてみましょう。例えば、「ぽーーーーーぽ」「ぽ〜〜〜〜〜ぽ」「ぽっぽ」など、子どもの表情を見ながら楽しく歌って遊んでください。
- 簡単な唱えうたですが、子どもはいくつになっても顔を触ってもらいたくて、「でこちゃんやって！」と来ます。

0歳児
1歳児
2歳児
3歳児
4・5歳児

膝乗せあそび

おでんでんぐるま

「すととーんしょ」で落とされるのがたまらない！
大喜びの子どもの笑顔に出会えます。

おでんでんぐるまに　かねはちのせて
いまにおちるか　まっさかさんよ
もひとつ　おまけに　すととーん

①足を前に出して床に座り、膝の上に子どもを乗せる。脇の下を両手でしっかり支えて、膝を上下に揺らす。

しょ

②足を開いて床に落とす。

ポイント

- 馬乗りのように膝の上下をするときには、子どものようすを見ながら、弾ませたりテンポを早くしたりして、楽しんでください。
- 月齢の低い赤ちゃんとは、ゆっくり、ゆったりと上下に揺らして遊び、怖がっていないかようすを見ながらすすめましょう。
- あそびに慣れてきて、馬乗りが大好きになったら、手をつないでリズミカルに上下に揺らして遊びましょう。

おでん でんぐるまにかねはちのせて いまにおちるか
まっさかさんよ もひとつおまけにすととーんしょ

バリエーション

子どもをおんぶして、馬になってギャロップ・ステップで走る。
「すととーんしょ」は、その場で3回跳ぶ。

すととーんしょ!

親子あそびのときに、お父さんやお母さんにおんぶしてもらって遊ぶと、子どもたちは大喜びです。

おとな二人で、ひとりが子どもの後ろから脇の下を抱え、もうひとりが足首を持って左右に揺らして遊ぶ。「すととーんしょ」で降ろす。

＜幼児の場合＞
おとな二人が向かい合ってしゃがみ、左手の甲を上にして出し、右手で左手首を握る。次に、互いに相手の右手首を左手で握っておみこしを作る。子どもをおとなの腕の中に足を入れてまたがせるようにして乗せる。子どもはおとなの肩にしっかりつかまらせる。

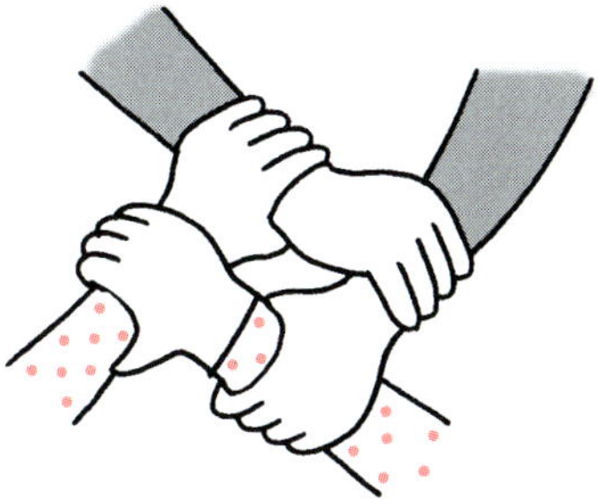

しょ!

歌いながら、おみこしを上下に揺らして遊び、「すととーんしょ」の「しょ」で下に降ろす。
子どもの足が地面についているか確認してから、おみこしの手を解くようにしましょう。

膝乗せあそび

どっちんかっちん

「どっちん」「かっちん」ふしぎなリズムがおもしろい！
「どっし～ん」で落とされるのも、たまんな～い！

ポイント

- 月齢の低い赤ちゃんの場合は、膝の上下をゆっくり、ゆったりとして、怖がっていないか表情を見ながらすすめましょう。
- 3回くらい繰り返し歌ってから、「どっしーん」と床に降ろしてあげましょう。
- 腰を痛めているときは、背もたれのあるいすに座って遊ぶと、腰に負担がかかりません。
- おとなの腹筋背筋が試されるあそびです。遊びながら筋トレできますよ。
- 子どもを3人、4人とおおぜい乗せるときは、両腕で子どもを支えて膝を上下に揺らすと遊べます。

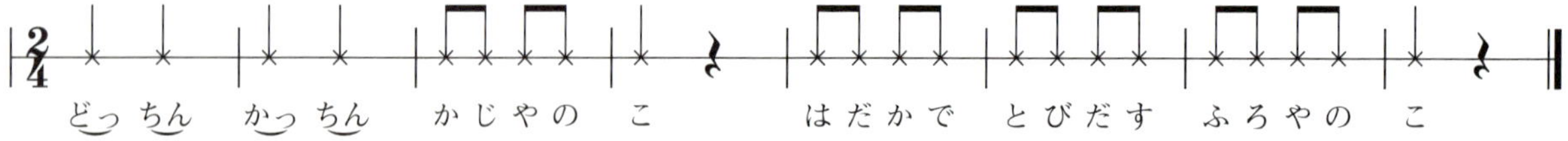
2
4
どっ ちん
かっ ちん
か じ や の
こ
は だ か で
と び だ す
ふ ろ や の
こ

どっちん　かっちん　かじやのこ
はだかで　とびだす　ふろやのこ

①足を前に投げ出して床に座り、膝の上に子どもを乗せる。脇の下をしっかり支え、リズミカルに膝を上下（７回上下、１回休み）する。

どっしーん

②足を開いて子どもを床に落とす。

バリエーション

しぐさあそびで楽しみます。

どっちん　かっちん　かじやのこ
はだかで　とびだす　ふろやのこ

①両手をグーにして両肩の上に乗せ、両足で床を踏みしめて、相撲のしこを踏むようにして歩く。手と足は、右・右、左・左と同じ側を同時に動かす。

お相撲さんのように、力を入れて、足を踏み鳴らして歩くと、体が温まります。
ことばがおもしろいので、子どもたちにも、親子あそびにもぴったりです。

おまけの一言

子育て支援センターでの親子あそびのとき、「どっちん　かっちん」と歌いながら遊んでいたら、1歳半のAちゃんがお母さんの膝から降りてよちよちと歩き出しました、お母さんは、「またー」と困った顔で引き戻そうとしました。私が目顔で「いいのよ」と知らせ、続けて歌って遊んでいると、Aちゃんは体全体を動かし、リズムに合わせてひょっこりひょっこりと踊り始めました。するとほかの子も、お母さんの膝から降りていっしょに体を動かして踊り始めたのです。思わずお母さんたちから、「どっちん　かっちん」と歌う声が大きく響きました。

お母さんは「こんな小さい子でも、心地よい、楽しいということが、ちゃんとわかるんですね」と言って帰られました。

わらべうたっていいですね。親子で楽しい時間を経験し、またお家で歌ってもらえたら、子どもはもっともっとうれしいでしょうね。

手あそび

ここはてっくび

「ありゃりゃに　こりゃりゃ」がオモシロすぎ。
最後には「かんたろさん」のやさしいことばが響きます。

ここはてっくびてのひら
ありゃりゃにこりゃりゃせいたかぼうずにいしゃぼう
ずおさけわかしのかんたろさん

膝の上に子どもを向こう向きに乗せて、後ろから子どもの手を持って遊びます。

ここは　てっくび

①子どもの手首を軽く握る。

てのひら

②手のひらに触る。

ありゃりゃに

③親指を軽く持つ。

こりゃりゃ

④ひとさし指を持つ。

せいたかぼうずに

⑤中指を持つ。

いしゃぼうず

⑥薬指を持つ。

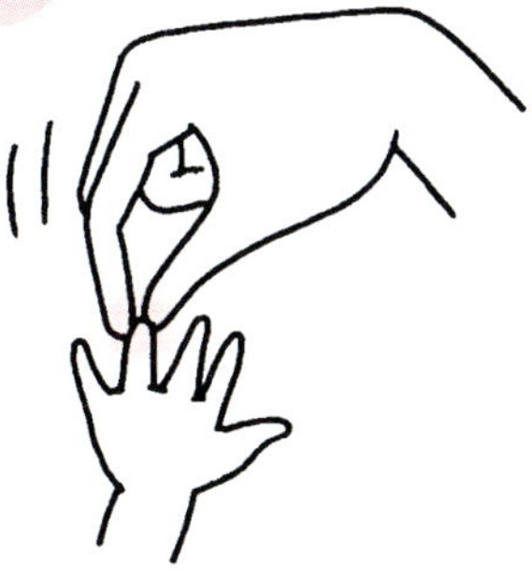

おさけわかしの　かんたろさん

⑦小指を持って揺らす。

ポイント

- 「ありゃりゃに　こりゃりゃ」の言い回しが、子どもたちは大好きです。
- 手あそびとして、おとなと子どもたちが向かい合って遊ぶこともできます。
- 乳児のときから歌って遊んでもらっていた子が、幼児になってことばあそびとして口ずさんでいる姿も見られます。
- 足でも遊べます。「ここは　あしくび　あしのうら…」と歌って遊んであげましょう。

（幼児と足の指で遊んでいたとき「せいたかぼうずはちがうね。」と教えてくれました。）

おまけの一言

うたの最後の「かんたろ」は「燗太郎」で、酒の燗具合を小指で見るところからきています。「かんたろ」というリズムと音韻には、しぜんと口に出るようなやさしい響きがありますね。

手あそび げんこつやまのたぬきさん

たぬきさんになって、じゃんけんぽん。
赤ちゃんのしぐさをまねするのも楽しい！

おまけの一言

　おなじみの手あそびです。赤ちゃんの日常がうたになっています。
　しぐさをつけて、楽しく遊んでみましょう。大きくなっても喜んで遊びます。

ポイント

- じゃんけんができなくても、リズミカルなはやしことばで、グーやパーをまねして遊んでいるうちに、チョキもできるようになります。
- 向かい合って一対一で遊べるようになると、楽しめます。親子あそびにもぴったり。

せっせっせーの

①両手をグーにして前に出し、上下に3回振る。

よい　よい　よい

②両手をグーにしたまま、片方の腕をもう片方の腕に乗せ、腕を交差させながら上下に3回振る。

げんこつ　やまの　たぬきさん

③両手をグーにして、上下を替えながら7回打ち合わせる。
(月齢が低い場合は、とんとんだけ)

おっぱい　のんで

④両手を口のそばに持っていき、指を2回パクパクする。

ねんねして

⑤両手のひらを合わせて、左右1回ずつほおにつける。

だっこして

⑥両手を胸で合わせて、だっこするしぐさをする。

おんぶして

⑦両手を後ろに回して、赤ちゃんをおんぶするしぐさをする。

またあし

⑧両手をグーにして、胸の前で上下にぐるぐる回す。

た

⑨じゃんけんをする。

手あそび

ずくぼんじょ

春！　つくしが顔を出すころだよ。
みんなで歌えば、つくしも急いで芽を出すよ。

ずっくぼんじょ
ずくぼんじょ
ずっきん　かぶって　でてこら

①両手を胸の前で組み合わせ、リズムに合わせて左右に揺らす。

さい

②両手のひとさし指を立てる。

２回目は中指を立て、３回目は薬指を立て、
４回目は小指を立て、５回目は親指を立てる。

５本の指が全部立てられたら、両手のひらを合わせ、リズムに合わせて左右に揺らしながら、
♪ずっくぼんじょ　ずくぼんじょ
♪はるになって　よかったね
と歌う。

ポイント

- 月齢が低く、手を組み合わせられないときは、両手を握って合わせて遊ぶとよいでしょう。
- 0歳児と遊ぶときは、膝の上に乗せて、後ろから両手を包むように持ち、歌いながらおとなの指を出して遊びましょう。あそびに慣れてきたら、子どもの指をいっしょに出してあげてもいいでしょう。

おまけの一言

佐賀ではつくしのことを「ずぐぼ」または「ずぐぼんじょ」と呼ぶそうです。(「じょ」は愛称の接尾語)

春の訪れとともに、やがてひょうきん者のつくしんぼうが頭をのぞかせます。そんなとき、佐賀県の唐津や鳥栖地方の子どもたちは、つくしの丸い顔をひやかして歌いました。「早く出て来い」とつくしに呼びかけるところから、子どもたちの待ちきれない気持ちがよく伝わってきますね。

バリエーション

ずっくぼんじょ
ずくぼんじょ
ずっきん　かぶって　でてこら

①両手を頭上で合わせてつくしになったつもりでしゃがみ、リズムに合わせて左右に揺らす。

さい

②立って、芽が出たしぐさをする。

ずっくぼんじょ
ずくぼんじょ
ずっきん　かぶって　でてこら

③両手を頭上に合わせたまま立ち、左右にリズミカルに揺れる。

さい

④両足でピョーンと跳び上がり、頭上に合わせた手を伸ばす。

足腰がしっかりしてきたら、こんな表現あそびも楽しんでみましょう。
両足跳びができなくても、やっているつもりでまねる姿がとっても愛らしいですよ。

<見せるあそび>

両手のひらのなかに、小さなつくし(フェルト製や折り紙製、本物ならなおよい)を入れて、歌いながら左右に揺らし、「でてこらさい」で、つくしをニョキと出して見せます。何回か歌いながら、順に出して見せましょう。

春、つくしが芽を出すころに歌ってみましょう。

手あそび せんべ せんべ やけた

どのおせんべが焼けたかな～？
「た」に当たりたくって、繰り返して遊びたがります。

丸く輪になって座り、おとなが入ります。

せんべ　せんべ　やけた
どのせんべ　やけた
このせんべ　やけ

①子どもたちは両手の甲を上にして前に出して、上下に揺らす。おとなはひとりずつの手の甲を順に触る。

た
○○ちゃん　せんべ　やけた

②最後の「た」に当たった子の手を包むようにして、子どもの名前を入れて歌いながら、上のほうに掲げる。

順々に何回も歌って遊ぶ。
オニきめにして遊んでもよい。

バリエーション

小さい子は、後ろ向きに膝に乗せて、後ろから両手を下から抱えるように持ち（子どもの手の甲を上にして）、歌いながら上下に揺らす。「どのせんべ　やけた」で子どもの手をひっくり返し、「このせんべ　やけた」で元に戻す。最後に「○○ちゃん　せんべ　やけた」と歌い、「食べてみようね」「おいしい　おいしい」と口のところに持っていく。

集団で手あそびとして遊ぶ場合は、両手を前に出して、リズムに合わせて上下に揺らしながら歌う。「どのせんべ　やけた」で手のひらを返して上向きにし、「このせんべ　やけた」で元の下向きにして、上下に揺らす。机の前に座って遊ぶときは、机の上を手のひらでトントンとたたくようにすると楽しい。「どのせんべ　やけた」は手の甲でトントンする。

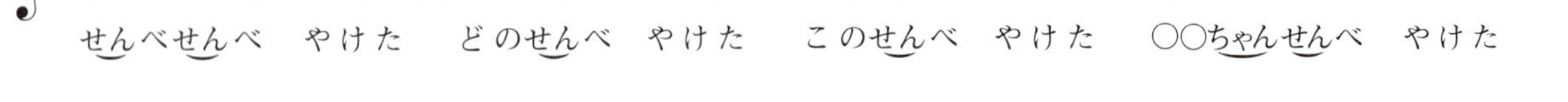
せんべせんべ　やけた　どのせんべ　やけた　このせんべ　やけた　○○ちゃんせんべ　やけた

オニきめ どのこが よいこ

「よいこ」に当たればうれしさ倍増！
子どもたちのだ〜い好きなあそびです。

オニきめのあそびです。子どもの手や頭に軽く触れて歌います。

どのこが　よいこ
このこが　よいこ

①子どもは両手をこぶしにして前に出し、おとなはうたに合わせてひとりずつのこぶしを触っていく。

○○ちゃんは　よいこ

②「よいこ」に当たった子の頭をなでる。

ポイント

- どの子もよい子になれる、子どもたちの大好きなあそびです。
- テンポが早くならないように気をつけて、リズムをしっかり刻んで歌ってください。
- みんなに当たるように、繰り返して遊びましょう。
- 唱えうたのように遊ぶだけでなく、おやつを渡したり、順番を決めたりと、いろいろな場面で楽しんで歌ってください。

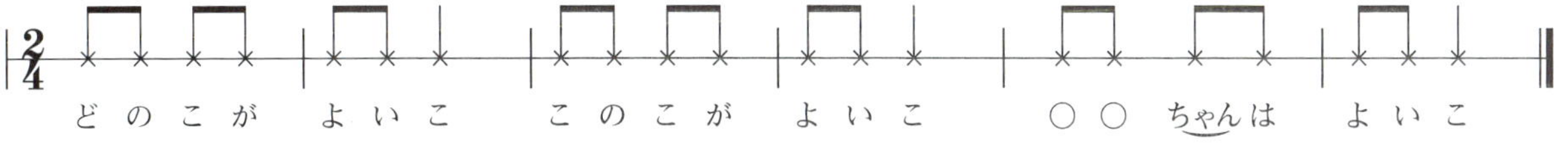
2/4
どのこが　よいこ　このこが　よいこ　○○　ちゃんは　よいこ

となえことば
うさぎうさぎ

どうしてウサギは耳が長いのかな～？
やさしいことばが響きます。

1

うさぎ　うさぎ
なぜみみなーげ

やまのはなしも
きいてーし

さとのはなしも
きいてーし

それでみみなーげ

①片手をチョキにして肩の高さに上げ、ゆっくり左右に揺らしながら唱える。

ウサギの人形を片手に持って、よく見えるように掲げ、ゆっくり左右に揺らしながら唱える。

ポイント

●ことばあそびや唱えうたで遊ぶときは、ハンカチや人形など、ちょっとした小物があると楽しく遊べます。
●ウサギの人形がないときは、手袋やハンカチで簡単に作ることができます。

2歳児

しぐさあそび

あずきっちょ まめちょ

「つぶれっちょ」でみんないっしょにしゃがめるかな？
みんなでいっしょなのが楽しいね。

バリエーション

足腰がしっかりするまでは、ひとりで頭の上に両手を乗せて「あずきっちょまめちょ」とリズムに合わせて歩き、「つぶれっちょ」でしゃがむ。

繰り返し歌って遊びましょう。

あずきっちょ
まめちょ
つぶれっちょ！

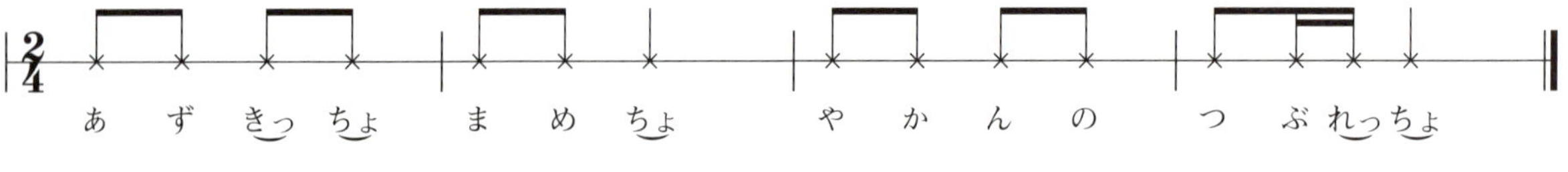
2
4
あ ず きっ ちょ ま め ちょ や か ん の つ ぶ れっ ちょ

輪になって手をつなぎ、内側を向きます。

あずきっちょ　まめちょ　やかんの

①つないだ手を前後に振る。

つぶれっちょ

②全員手をつないだまましゃがむ。

ポイント

●「ちょ」でしゃがんだ体勢から、「あずきっちょ」と立ち上がりながら、繰り返し歌って遊びましょう。

バリエーション

二人で向かい合って両手をつなぎ、「あずきっちょ　まめちょ　やかんの」と３回両足跳びをし、「つぶれっちょ」で二人でしゃがむ。

繰り返し歌って遊びましょう。

幼児（４～５歳児）の場合は、背中合わせになって両手をつないで遊ぶこともできる。

輪になって遊ぶときに、「つぶれっちょ」で一歩前に跳んでしゃがむ。

繰り返して遊ぶうちに、輪がどんどん小さくなっていきます。

手あそび

もちっこ やいて

ぷく〜っと焼けたおもち、とってもおいしそう。
しょうゆをつけて……いただきま〜す。

おまけの一言

おんなじ調子のうた「かれっこ　やいて」でもよく遊びますが、お正月が近くなると、「もちっこ　やいて」で遊びます。

かれっこ　やいて

もちっ こ　やいて　とっくらきゃして　やいて　しょうゆを　つけて　たべたら　うまかろう

もちっこ　やいて

①両手を前に出し、手の甲を上にして上下に4回振る。

とっくらきゃして　やいて

②両手をひっくり返し、手のひらを上にして4回振る。

しょうゆを　つけて

③片手のひらを上にしてお皿にし、もう片方の手でもちを持ってしょうゆをつけるしぐさをする。

たべたら

④もちを口にもっていく。

うまかろう

⑤両手を両ほおにもっていく。

バリエーション

歌いかた、遊びかたに慣れてきたら、
「さあ、今度は何を焼こうかな？」
と子どもたちに聞き、焼くものとつけるものを考えてもらって遊びましょう。たくさん遊んでいるうちに、歌いかたも遊びかたも覚えてしまいます。

＜例＞　おにぎり（みそ）
　　　　ホットケーキ（シロップ）
　　　　さんま（だいこんおろし）
　　　　おいも（バター）
　　　　しいたけ（しょうゆ）
　　　　お肉（たれ）

子どもと遊んでいると、スイカやメロン、プリンなど、知っている好きな食べ物がどんどん出てきて盛り上がります。

さあ こんどは
なにやこうかな？
おにぎり！

手あそび どどっこやがいん

どどっこ焼けたかな？
おいしく焼いて、楽しく食べましょう。

どどっこ　やがいん

①両手を前に出し、手のひらを下に向けて４回上下に振る。

けえして　やがいん

②手のひらを返して４回上下に振る。

あだまっこ　やがいん

③体の左前に両手を出し、手のひらを下向きにして４回振る。

けえして　やがいん

④そのままの位置で手を返して、上下に４回振る。

すりぽっこ　やがいん

⑤体の右前に両手を出し、手のひらを下向きにして４回振る。

けえして　やがいん

⑥そのままの位置で手を返して、上下に４回振る。

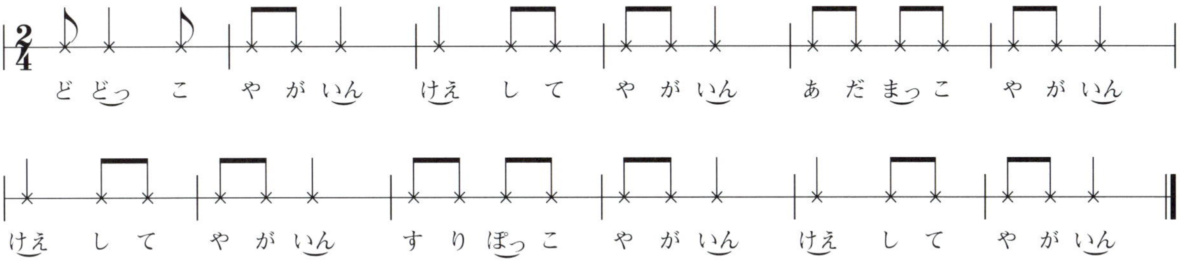

おまけの一言

「どどっこ」は魚のこと、「けえして」はひっくり返して、「あだまっこ」は魚の頭、「すりぽっこ」は魚の尻尾、「やがいん」は焼こうという意味です。

冷たくなった子どもの手を火鉢の上で温めるのをまねたあそびとして、伝わりました。

バリエーション

<0歳児と遊ぶとき>

膝に乗せて子どもの後ろから両手を軽く持ち、振りながら歌う。

<あそびの続きをつくって遊ぼう>

①「焼けたかなあ」と手を見て、「まだ焼けないね」

②「どどっこやがいん～けえしてやがいん」と遊び、「焼けたかなあ」と手を見て、「もう焼けた！」

③「むしゃむしゃむしゃ」とおいしそうに食べるまねをする。

①「焼けたかどうだか食べてみよう」と節をつけて唱えながら、手を見る。

②「まだ焼けない」で、またはじめから遊ぶ。「どどっこやがいん～けえしてやがいん」と最後まで遊び、「焼けたかどうだか食べてみよう」と手を見る。

③「もう焼けた」で、「むしゃむしゃむしゃ」と食べるまねをする。

「焼けたか～食べてみよう」「まだ焼けない」のやりとりを楽しむことで、ごっこあそびの入り口にもなります。また、幼児になって「ことしのぼたん」や「あぶくたった」のようなあそびの「唱えことば」のリズミカルなやりとりの下地にもなっていきます。

手あそび

こどもとこども

1本ずつ、じょうずに指を動かしてみましょう。
最初はまねすることから……ね。

こ ど も と こ ど も が け ん か し て く す り や
さん が と め た け ど な か な か な か な か と ま ら な
い ひ と た ちゃ わ ら う お や た ちゃ お こ る ぷんぷん

こどもと　こどもが

①両手の小指を出して４回くっつける。

けんかして

②小指を上下に動かしながら、交差させる。

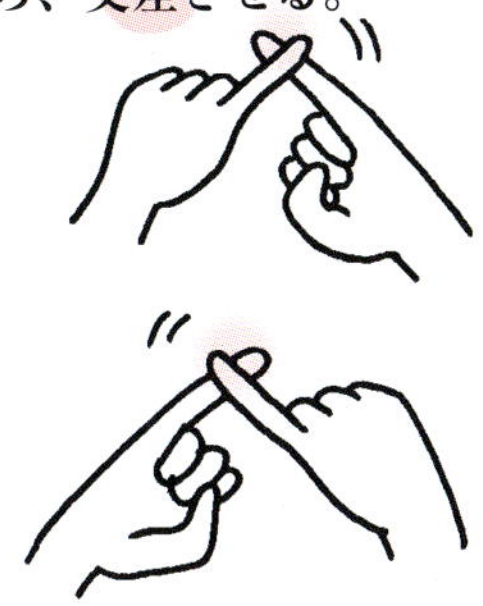

くすりやさんが　とめたけど

③薬指と薬指を、７回くっつける。

なかなかなかなか　とまらない

④中指と中指を、７回くっつける。

ひとたちゃ

⑤ひとさし指とひとさし指を、４回くっつける。

わらう

⑥ひとさし指を向かい合わせて、３回曲げる。

おやたちゃ　おこる

⑦親指と親指を、７回くっつける。

ぷんぷん

⑧両方の親指を立てて外側に２回そらせ、怒った表情をする。

ポイント

- テンポが早くならないように気をつけて遊びましょう。
- 指を1本ずつ立てるのが難しい場合は、両手を開いたまま、小指、薬指、中指まで順に合わせて遊んでもいいでしょう。その場合、おとなはきちんと1本ずつ指を立てて遊んでください。
- 子どもは、おとなのあそびを見て育ちます、はじめはできなくても、まねしているうちにできるようになります。最近日常の生活で指を使う場面が少なくなっていますので、こんな手あそびを意識して遊んでください。

おまけの一言

わらべうたあそびは、おとなから子どもへ、子どもから子どもへ、口伝えで伝えられてきました。地域や時代によっていろいろに歌われ、遊ばれてきたようです。このあそびも地域によっては下のような歌いかた、遊びかたがあります。

バリエーション

こどもと　こどもが　けんかして

①小指と小指を７回くっつける。

おやが　でてきて

②親指どうしを４回くっつける。

くすりつけ

③薬指どうしを３回くっつける。

ひとさん　みていて

④ひとさし指どうしを４回くっつける。

なかなおり

⑤中指どうしを３回くっつける。

この遊びかたは、専門学校で保育科の学生の指導に携わっていたとき、長野県佐久市出身の学生から聞いたものです。その地域では、この遊びかたで伝わっているそうです。この場合は、両手を向かい合わせて、小指からくっつけて遊びます。

手あそび

にほんばし こちょこちょ

「いいよ」と言ったら、こちょこちょこちょ～！
ゲラゲラ大笑いしちゃいます。

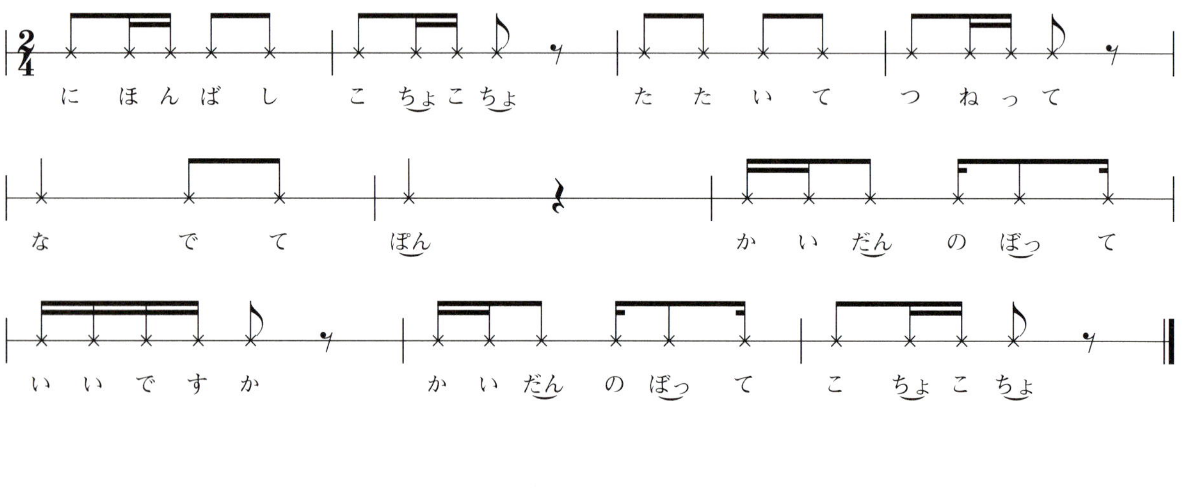

に ほ ん ば し こ ちょ こ ちょ た た い て つ ね っ て
な で て ぽん か い だん の ぼっ て
い い で す か か い だん の ぼっ て こ ちょ こ ちょ

にほんばし

①子どもの片手を手の甲を上にして持ち、ひとさし指と中指の２本で軽くたたく。

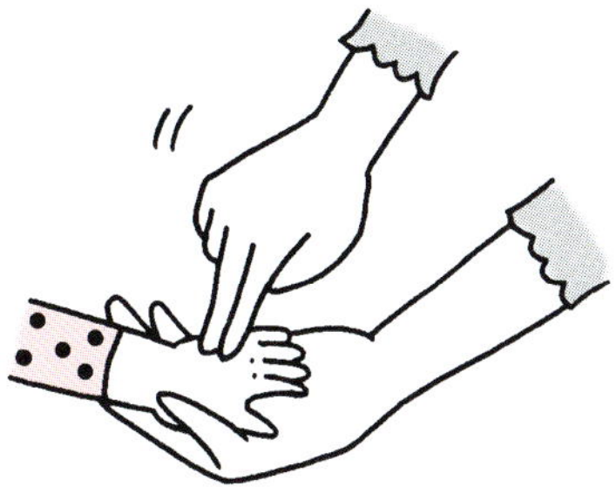

こちょ　こちょ

②ひとさし指と中指で手の甲をくすぐる。

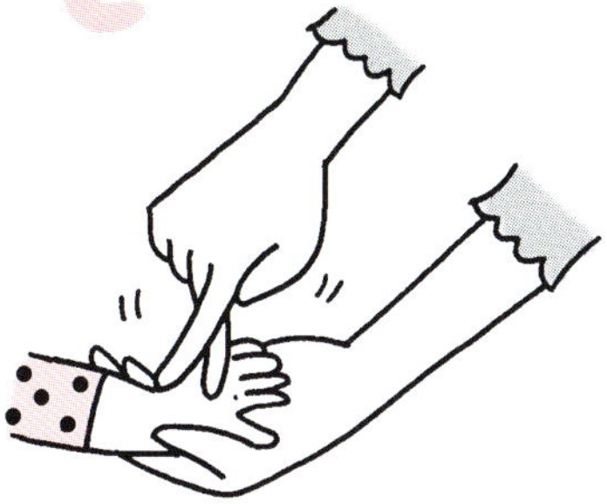

たたいて

③同じ２本の指で手の甲を軽くたたく。

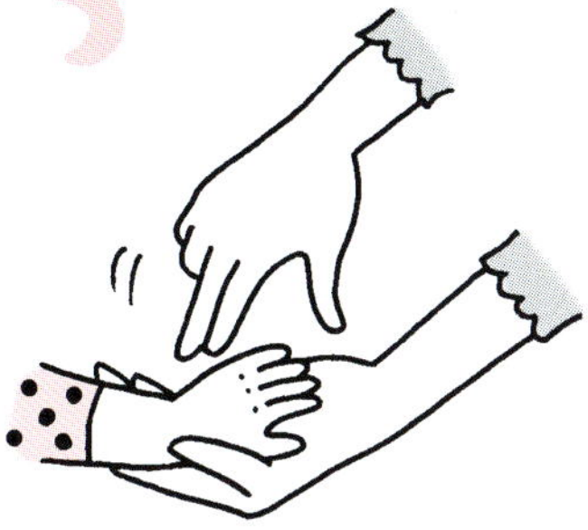

つねって

④同様に軽くつまむ。

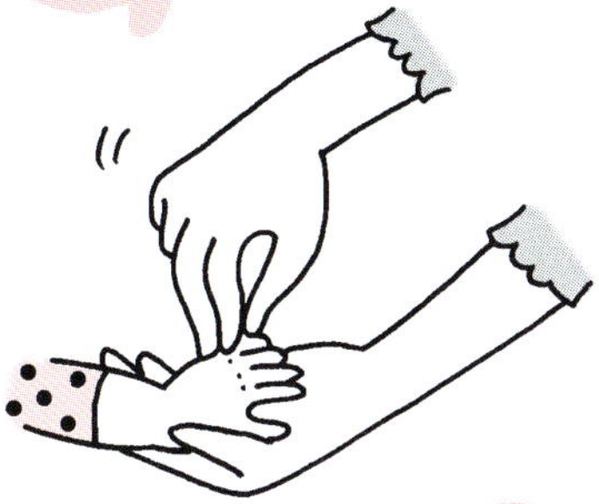

なでて　ぽん

⑤同様に２回なでて　軽く１回たたく。

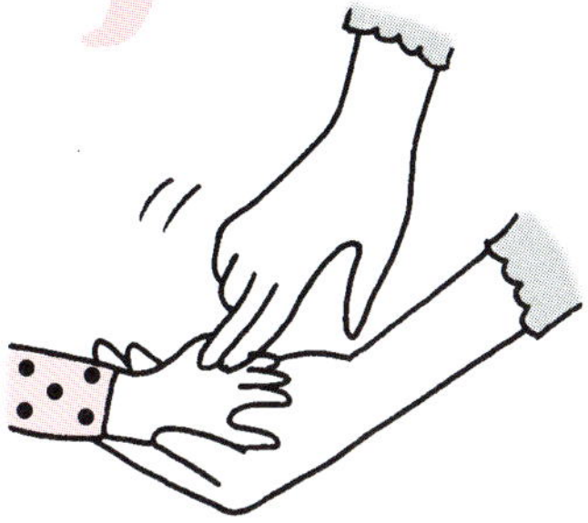

かいだん　のぼって　いいですか

⑥２本の指で、子どもの腕から肩のほうに向かって動かしながら、子どもに聞く。子どもが「だめ」と言ったら、再び「かいだんのぼって　いいですか？」と聞く。

かいだん　のぼって　こちょ　こちょ

⑦２本の指を動かして、子どもの腕を肩のほうに向かって登っていき、脇の下をくすぐる。

おまけの一言

「つねって」は子どもの行為としてよくないので抜かして遊んでいる、と聞きますが、私はあそびのなかで「つねることは痛いこと」「自分が嫌なことは人にはしないようにしよう」という気持ちを伝えていきたいので、そのまま遊んでいます。

ふたりあそび

おてらのおしょうさん

おしょうさんがまいたカボチャの種……、
ちゃあんと育つかな～？

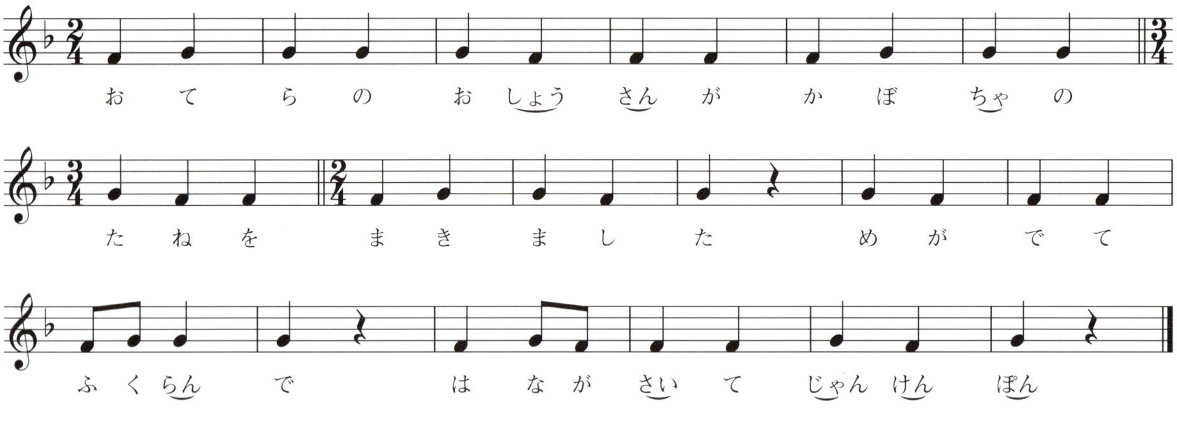

お て ら の お しょう さん が か ぼ ちゃ の
た ね を ま き ま し た め が で て
ふ く らん で は な が さい て じゃん けん ぽん

せっせっせーの

①向かい合って手をつなぎ、上下に３回振る。

よい　よい　よい

②つないだ手をそのまま交差させて、上下に３回振る。

おてらのおしょうさんが　かぼちゃのたねをまきました

③両手を水平にして、１拍目は自分で拍手、２拍目は相手の上向きの手に自分の片手を合わせて拍手する。これを２０回繰り返す。

めがでて

④両手を合わせて芽をつくる。

ふくらんで

⑤合わせた両手をふくらませる。

はなが　さいて

⑥両手首をつけたまま、指を開いて花をつくる。

じゃんけんぽん

⑦両手をグーにして、胸の前で上下にぐるぐる回し、じゃんけんをする。

ポイント

●手あわせのリズムに乗れなかったり、左右の手あわせができなくても気にせず、繰り返して遊びましょう。いつのまにかみんなといっしょに楽しく遊べます。

おまけの一言

全国どこの地域でも遊ばれ、年齢に関係なくしぐさを入れて楽しめる、わらべうたあそびです。地域によっていろいろな歌詞で歌われ、しぐさも変わっています。わらべうたあそびのヒットソングにあたるでしょう。

バリエーション

「はなが　さいて」の後に続けて遊びましょう。

かれちゃって

①両手を前にだらんと垂らす。

にんぽうつかって

②忍者のように、両手を合わせて組み、ひとさし指を立てる。忍法をかけるように動かす。

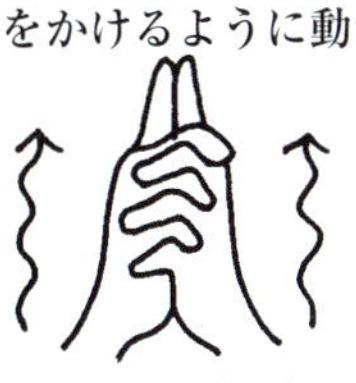

そらとんで

③両手を左右に広げて、飛んでいるように動かす。

ぐるりとまわって

④両手をグーにして、胸の前で上下にぐるぐる回す。

じゃんけんぽん

⑤じゃんけんをする。

子どもたちと遊ぶうちにできたアドリブのところが、大人気です。ほかにも「アニメのキャラクターに変身！」など、その時代の子どもたちの人気者をアドリブでつけて遊んでいることを聞き、うれしくなりました。

ふたりあそび

ぎっこばっこひけば

おっぷり、かっぷり、舟をこぎましょう。
なかよく手をつないでこぎましょう。

二人で向かい合い、足を前に出して座ります。

ぎっこ　ばっこ　ひけば
となりの　ばんばこ
かけたわんこ　もってきて
おっぷり　かっぷり　みなのんだ

①両手をつないで、引っ張ったり、引っ張られたり、ぎっこんばったんと舟をこぎます。

ポイント

- うたに合わせてゆっくり大きく体を前後に倒したり、早いリズムで動かしたりと、子どもたちのようすを見ながら遊びましょう。
- 体の動きが大きいので、お互いがぶつからないように、スペースのある場所を選んで遊びましょう。頭を床にぶつけないように気をつけて遊んでください。

ぎっこ ばっこ ひけば となりの ばんばこ
かけたわんこ もってきて おっぷりかっぷり みなのんだ

バリエーション

<0〜1歳児には>
おとなの膝の上に乗せて、体の脇をしっかり支えて遊ぶ。

「おっぷり　かっぷり」の言い回しがおもしろく、喜びます。繰り返して遊びましょう。

あそびに慣れてきたら、「大波が来たよー」と体を横に揺らしたり、「大風が吹いてきたよー、ヒュー、ヒュー」「ちゃんとつかまっててねー」など、アドリブでいろいろ楽しんでください。

おまけの一言

体に触れて遊ぶって、楽しい！

子どもは触られるのが大好きです。同時にリズミカルなことばであやしたり、くすぐったりすると、もっと喜んでくれます。そのときのリズムやことばは、すーっと体の中に入っていき、体の奥深く刻まれていくことでしょう。触れられ、くすぐられてちょっと体が緊張する楽しい経験は、いくつになっても楽しめます。幼児になっても、小学生になっても、遊んであげたいですね。

体に触られるのを嫌がる子もいますが、生まれてから、肌と肌の接触の経験が少なかったり、嫌な体験と結びついていたりと、それぞれの背景が違っているのでしょう。あせらず気長に、好きなあそびから始めてみてください。いつか喜んで遊べるようになるでしょう。

ふたりあそび

あのこどこのこ

「にゃー」でネコのポーズをするよ。
どんなゆかいなネコが現れるかな？

あー の こ どー こ の こー せん だ ば し の
ねー こ の こ と と くっ て にゃー ご にゃー

あーのこ　どーこのこー
せんだばしの　ねーこのこ
ととくって　にゃーご

①向かい合って両手をつなぎ、左右に振る。

にゃー

②手を離してネコのポーズをする。

ポイント

●ネコのポーズは子どもたちの好きなポーズにまかせて、いろいろ遊んでみると楽しいですよ。
●「せんだばしの」の部分を、子どもたちの知っている身近な場所に替えて歌ってもいいでしょう。

バリエーション

あそびに慣れてきたら、ネコのポーズでじゃんけんあそびに展開していきましょう。

グー

両手をグーにして、ネコがまねいているようなポーズ。

チョキ

両手をチョキにして、指を少し丸めて耳にして額につける。

パー

両手を開いてパーにして、口の両脇につけてひげにする。

「あーのこ」から「にゃーご」までは同じ遊びかたをし、最後の「にゃー」のネコのポーズで、グー、チョキ、パーのポーズをとってじゃんけんあそびをする。

となえことば

いっちく たっちく

子どもたちに、唱えてみせるあそびです。
「どん」で当たるのは、どの指かな～。

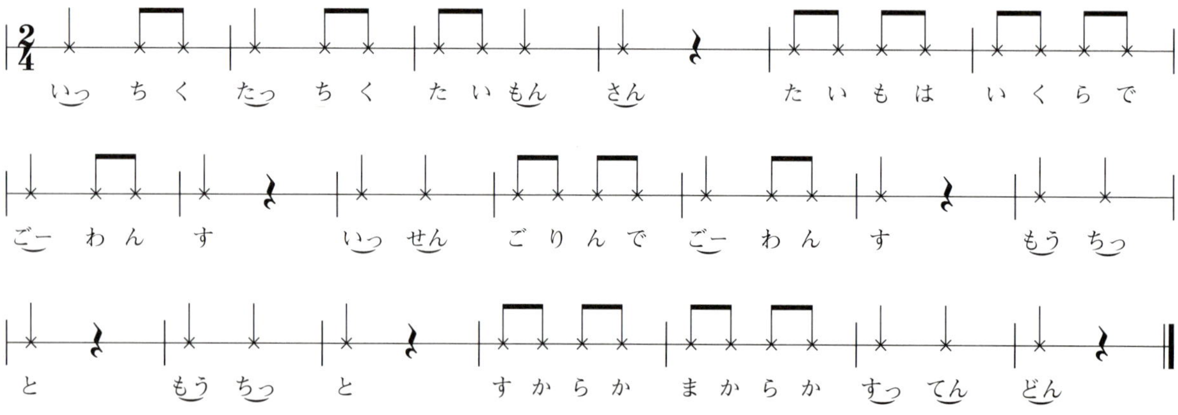
2/4
いっ ち く たっ ち く た い もん さん た い も は い く ら で
ごー わ ん す いっ せん ご り ん で ごー わ ん す もう ちっ
と もう ちっ と す か ら か ま か ら か すっ てん どん

片手に手袋の指人形をはめて、子どもたちに見えるように掲げます。

いっちくたっちく　たいもんさん
たいもはいくらで　ごーわんす
いっせんごりんで　ごーわんす
もうちっと　もうちっと
すからかまからか　すってん

①片手に手袋の指人形をはめて、歌いながら、もう片方のひとさし指で1拍ごとに指先に触っていく。

どん

②最後の「どん」で当たった指を、折り曲げて寝かせる。

2回目は、次の指から触りながら唱え、折り曲げた指は抜かしていく。
最後の1回は、残った1本の指を触りながら唱える。

ポイント

- ゆっくり、ゆったり唱えると、子どもたちも少しずつことばを覚えて、いっしょに口ずさんでくれます。
- 子どもたちに人形を見せながら歌ってあげても喜びます。

おまけの一言

冬、火鉢に当たる手が多すぎるとき、だれかの手を引っ込めさせるために、みんなの手を指さしながら歌って、終わりの「どん」に当たった手を引っ込めさせたそうです。

バリエーション

<オニきめあそびとして遊ぶ>
子どもたちは両手を握りこぶしにして前に出し、おとながひとさし指で触っていく。「どん」で当たった子がオニになる。

子どもの手のひらを上にして下から軽く支え、片方の手のひとさし指で唱えながら遊ぶ。この場合は、1拍ごとに、指先、指の谷間を順に触っていき、「どん」で指先で止まるか、谷間に落ちるかを楽しむ。子どもと向かい合って、ひとり1回ずつ唱えながら遊ぶことができる。

唱えことばやことばあそびは、ことばの言い回しがおもしろく、リズムは単純ですが唱えていると興に乗り、おとなも子どもも興奮してきます。ことばがあまり出ていない子でも、じっと聞いて楽しんでくれます。きっとことばを楽しんでいるのでしょう。

こもりうた

ねんねんねやま

ゆっくりゆったり歌っていると、
子どもといっしょに眠くなってしまいます。

おまけの一言

長野地方（信州）のこもりうたです。ゆっくり、ゆったりと歌ってあげましょう。
歌っているうちにおとなも心地よくなってくるこもりうたです。

ねん ねん ねやまの こめやまち こめやの よこちょうを とおるとき
ちゅうちゅう ねずみが ないていた なんの ようかと きいたらば
だいこく さまの おつかいに ねんねしたこの おつかいに
ぼうや も はやく ねんねしな だいこく さまへ まいります

3歳児

しぐさあそび

くまさんくまさん

片足跳びはちょっと難しいけれど
がんばってチャレンジしてみましょう。

くまさん くまさん まわれみ ぎ くまさん くまさん りょうてを ついて
くまさん くまさん かたあし あげて くまさん くまさん さようなら

くまさん　くまさん

①立ったまま拍手を4回する。

まわれみぎ

②腕を振りながら、リズムに合わせてその場を1周回る。

くまさん　くまさん

③拍手を4回する。

りょうてを　ついて

④膝の屈伸をしながら、前の床を両手のひらで4回軽くたたく。

くまさん　くまさん

⑤拍手を4回する。

かたあし　あげて

⑥両手を腰に当てて、その場で片足跳びを4回する。

くまさん　くまさん

⑦拍手を4回する。

さようなら

⑧おじぎをする。

ポイント

- 片足跳びがちょっと難しいのですが、子どもたち一人ひとりが一生懸命片足で跳ぶ姿に感激します。
- テンポが早くなりやすいので、リードするおとながしっかりリズムを刻んで歌ってあげましょう。
- 「くまさん」のリズムが「くーまさん」にならないように気をつけましょう。

バリエーション

二人で向かい合って遊びます。5からあとは、上と同じ動作をします。

くまさん　くまさん

①立ったまま拍手を4回する。

まわれみぎ

②腕を振りながら、その場をひと回りする。

くまさん　くまさん

③立ったまま拍手を4回する。

りょうてを　ついて

④向かい合った二人の手を合わせる。

4歳児や5歳児なら、二重円になって遊ぶこともできます。向かい合ってしぐさあそびをし、1曲歌い終わるごとに、外側の子が右に動いて相手を替えて遊びます。

おまけの一言

このうたが大好きで、一年間「くまさん　くまさん」で遊び、生活発表会にこの曲を「くまさんのおでかけ」（こどもの詩）のなかに入れて遊んだこともありました。ふだんから遊んで親しんでいる曲を、ちょっとアレンジして表現あそびにすると、無理なく楽しめる会になりますよ。

しぐさあそび

たけのこめだした

「えっさ えっさ えっさっさ」のリズムに
思わずはりきって遊んでしまいます。

たけのこ　めだした

①輪になって内側を向き、両手を頭上で合わせてタケノコにする。そのままの格好で膝を４回屈伸させながら、合わせた手を４回上下に動かす。

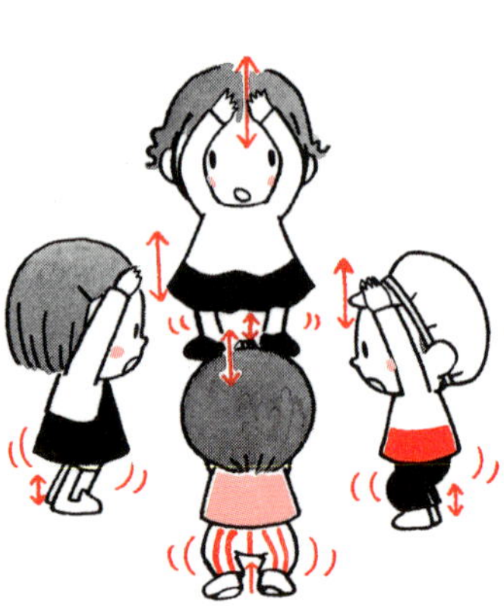

はなさきゃ　ひらいた

②両手を前に出して、開いて左右に揺らす。

はさみで　ちょんぎるぞ

③両手をチョキにして左右に揺らす。

えっさ　えっさ　えっさっさ

④両足跳びを４回しながら、両腕を上下に４回振る。

ポイント

- 2歳児から5歳児（小学生）まで遊べる、楽しいわらべうたあそびです。
- だんだんテンポが早くなるので、テンポとリズムに気をつけて歌いましょう。

たけのこ めだした はなさきゃ ひらいた
はさみで ちょんぎるぞ えっさ えっさ えっさっさ

バリエーション

二人で向かい合って遊びます。

最後に「えっさ えっさ えっさっ」と3回両足跳びをしたあと、「さ」でじゃんけんをする。

やったあ
さっ!
ぴー♪

あいこの場合は、勝負がつくまで「えっさ えっさ えっさっさ」とみんなで歌ってはやしたてましょう。

バリエーション

親子あそびや、異年齢あそび、4〜5歳児のあそびでは、どんどんつながって遊んでみましょう。

①二人ひと組でじゃんけんをし、負けた子は勝った子の後ろにつながる。

②「えっさ えっさ えっさっさ」と歌いながら、両足跳びで相手を探して移動する。

えっさっさっ

③相手が見つかったら、「たけのこ〜」と始める。

たけのこ〜♪

つながっている人も手を離してタケノコになり、腕を振って両足跳びで「えっさ えっさ えっさっさ」と応援しよう。

④先頭どうしでじゃんけんをする。

さっ!

あいこになったら全員で「えっさ えっさ えっさっさ」とはやしながら勝負がつくまで応援しよう。

⑤繰り返して全員が1列になったら、はじめから1回歌って終わりにする。

ちょんぎるぞ〜♪
チャンピオン

最後まで勝ち残った先頭の人が「たけのこチャピオン」!

集団でいっせいに「たけのこ〜」とタケノコの列になって歌い、遊ぶ姿は、なかなか楽しいものです。冬場の外あそびでは、盛り上がり、体がぽかぽかになります。

輪になって

うちのうらの

ネコのしぐさがとてもかわいい！
ネコになりきって遊んでみましょう。

ポイント

●リズムをしっかり刻んで歌い、早くならないように気をつけましょう。

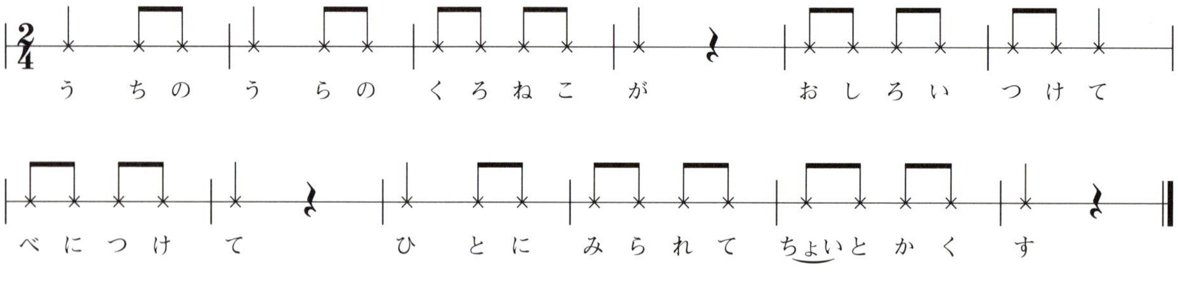
2/4
う ち の う ら の く ろ ね こ が お し ろ い つ け て
べ に つ け て ひ と に み ら れ て ちょい と か く す

みんなで輪になって中心を向いて立ち、オニきめでひとりオニ役を選びます。
オニは輪の中に入り、みんなと同じしぐさをしながら、輪の中を右回りに歩きます。

うちの　うらの　くろねこが

①両手ともこぶしをつくり、ネコがひっかくような手つきで交互に動かす。

おしろい　つけて

②手は握ったままで、両方のほおにおしろいをつけるしぐさをする。

べに　つけて

③片方の小指で口紅をつけるしぐさをする。

ひとに　みられて

④片方の手を額にかざす。

ちょいと　かくす

⑤輪になっている子は、額に手をかざしたまま前下に頭を下げる。オニは「ちょいと　かくす」で前にいる子の肩に両手をかけて、オニ役を交替する。

ポイント

●繰り返し歌って遊んで、どの子もオニ役になるように配慮してあげましょう。ネコのいろいろなしぐさがくふうされて、楽しめますよ。

バリエーション

表現あそびとして、楽しんでみましょう。

室内や園庭で、ネコになって歌いながら、「うちのうらの……」としぐさあそびで楽しむ。

バリエーション

手あそびとして、楽しんでみましょう。

座って、ネコのしぐさをして遊ぶ。

輪になって ぶーぶーぶー

「ぶーぶーぶー」だれの声だかわかるかな〜？
ブタの鳴き声をまねするって、楽しいね。

オニきめで、ひとりブタになる子を決めます。

ぶーぶー ぶー　たしかにきこえる　ぶたのこえ

①オニのブタは顔を両手でおおってしゃがみ、ほかの子は輪になって手をつなぎ、ブタを中心に右方向に歌いながら歩く。

②繰り返して２、３回歌いながら歩き、おとなが合図をしたら止まる。

ぶーぶーぶー

③ブタの後ろに当たる子が「ぶーぶーぶー」と鳴き声をまね、オニのブタは声の主を「○○ちゃん」と当てる。

当たったら、「大当たりー！」と言ってオニを交替する。
はずれたら、「大はずれ」と言って、続けてオニ役をする。

ぶー ぶー ぶー たしかに きこえる ぶたのこ え

ポイント

●ブタの鳴き声を出す役をやりたくて、オニの後ろに子どもが集まってしまうので、少人数のあそびから始めて、繰り返し歌って遊び、どの子にも当たるように歌う回数を配慮しましょう。
●2～3歳児の場合、友達の鳴き声を聞いてもすぐに名前が出てこないこともあります。そんなときは、おとながオニにヒントを出すなどして、子どものようすを見守りながらあそびをすすめましょう。

ぶーぶー
ぶー
ぶー
帽子をかぶったおともだちだよ
だあれ
だあれ

バリエーション

鳴き声のわかる動物に替えて遊んでも楽しいですよ。

＜例＞ ヤギ（めぇーめぇーめぇー）
サル（きゃっきゃっきゃっ）
イヌ（わんわんわん）
ネコ（にゃーにゃーにゃー）

きゃっ きゃっ きゃっ きゃ
う～んと えっ～と だあれかな～

子どもたちといっしょに考えて、いろいろ遊んでみてください。

バリエーション

輪になってしぐさあそびで遊んでみましょう。

ぶーぶーぶー
①片手で鼻を上向きに軽く押さえて、体を左右に揺らす。

たしかにきこえる
②拍手を4回する。

ぶたのこえ
③1と同じ動きをする。

めぇーめぇーめぇー
①片手であごひげを触るしぐさを2回する。

たしかにきこえる
②拍手を4回する。

やぎのこえ
③1と同じ動きをする。

ほかにもいろいろな鳴き声の動物になって、遊んでみてください。
座って遊んでも楽しめます。

輪になって
もぐらどん

もぐらどんがどんどん入れ替わって、おもしろ～い。
いろんなもぐらどんが登場するかも？

も ぐ ら ど ん の お や ど か ね
つ ち ご ろ り ま いっ た ほい

オニきめで、もぐらどんになる子をひとり決めます。
ほかの子は輪になって手をつなぎ、もぐらどんは輪の中央で眠ったまねをします。

もぐらどんの　おやどかね　つちごろり　まいった　ほい

①手をつないで右回りに８呼間歩く。

②もぐらどんに向かって歩いて止まる。

③おとなが、「モグラさん、モグラさん。朝ですよ。起きなさい」と声をかけると、もぐらどんは起きて、友達をつかまえる。つかまった子が次のもぐらどんになる。

ポイント

●短いうたなので、どんどんもぐらどんが入れ替わり、テンポのよいあそびとして親しまれています。
●遊びかたや、うたに慣れてきたら、子どもと相談してもぐらどんを起こす役を決めて遊びましょう。

バリエーション

４〜５歳児で遊ぶときは、一番はじめは、おとなが起こす役になり、次からは、直前のもぐらどんが起こす役になって遊ぶ。

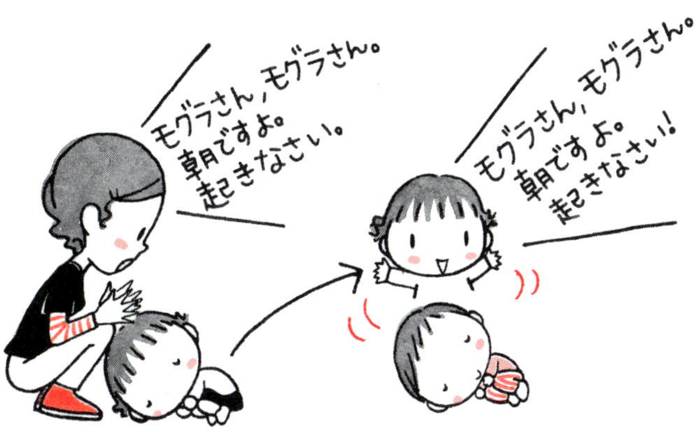

子どもが起こすときのセリフは、それぞれでおもしろいですよ。

もぐらどんの寝るスタイルも、いろいろやってみると楽しい。外で遊ぶときは、しゃがんで両手で顔をおおってもいい。

親子あそびでも楽しめます。

ふれあいあそび

おせよおせよ

「おせよ～　おせよ～」と押し合います。
ひっくり返らないように、がんばらないとね。

おせよ～
おせよ～
おせよ～
おせよ ～

お せ よ　お せ よ　さ む い で　お せ よ

おせよ　おせよ　さむいで　おせよ

①二人で向かい合って立ち、手のひらを合わせて、４回押し合う。足をふんばって、ひっくり返らないようにがんばります。

相手を押すことに慣れてきたら、おとなに向けて、子どもたちが「おせよーおせよー」と歌いながら力いっぱい押して遊んでみましょう。

バリエーション

歌いかたやあそびに慣れてきたら、横向きに二人で並び、体の前で両ひじを抱えて肩と肩をぶつけ合って押し合う。二人組になって押し合っても楽しい。

このあそびのときには、ひじを抱えることを約束しておきましょう。

４〜５歳児は、壁などのよりかかれるところに横１列に並び、真ん中から２組に分かれて、両ひじを体の前で抱え、両端から中央に向かって４回肩で押し合う。押されて列からはみ出した子は、列の端につく。

しぐさあそび

いもむしごろごろ

みんなでそろって前に進むよ〜。
ぽっくりぽっくり進むよ〜。

1列になってしゃがみ、前の子の肩か腰に手を回して、イモムシになります。

いもむし　ごろごろ
ひょうたん　ぽっくりこ

①しゃがんで体を左右に揺らしながら、ゆっくりとしたテンポで、少しずつ前進していく。
前に進むことより、みんなの体の動きを左右に合わせて、揺らす勢いで進んで行くほうが、きれいにそろって楽しい。

ポイント

- 慣れるまでは、2〜3人のイモムシで遊びましょう。
- おとなが先頭の子と向かい合って手をつなぎ、左右に揺れながらリードすると、しゃがんでゆっくり前進するコツが身についていきます。
- 足腰の筋力がものをいうあそびです。子どもたちのようすを見ながら、7〜8人のイモムシになっておとなが中に入り、2回歌ったら、先頭の子は後ろにつくようにして遊びましょう。

い も む し　ご ろ ご ろ　ひょう た ん　ぽっ く り こ

しぐさあそび

たこたこあがれ

たこよ高くあがれ！　風よ強く吹け！
子どもたちの願いをのせてあがります。

お正月のころ、歌って遊びます。

たこたこあがれ

①右手を軽く握って右前方上に上げ、たこの糸を引くように左斜め下に4回引く。

てんまであがれ

②右手のひとさし指を立て、空に向けて4回指さす。

バリエーション

たこたこあがれ

①輪になって手をつなぎ、つないだ手を前後に振る。

てんまであがれ

②手を離して、片手で空を4回指さす。

たこになって、両手を広げて園庭を飛び回って遊ぶ。

体がほかほかになりますよ。

おまけの一言

たこあげうたには、風に強く吹けと呼びかけるものと、たこに高くあがれと呼びかけるものの2種類があります。

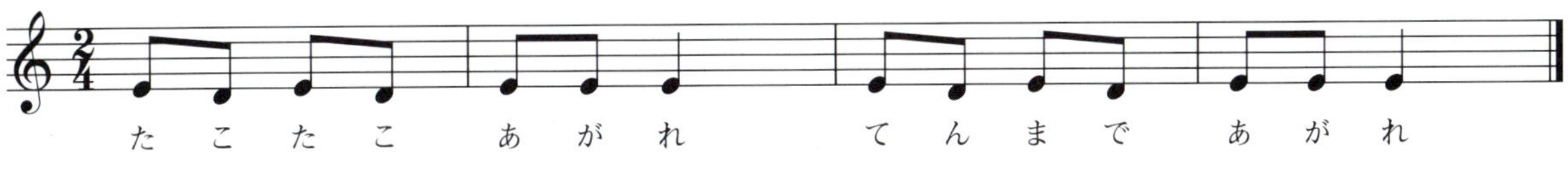
たこたこ　あがれ　てんまで　あがれ

オニきめ

おえびすだいこく

「どっちがよかんべ」「こっちがよかんべ」
ゆかいなことばの響きといっしょにオニを決めましょう。

子どもたちは輪になって、両手を握って前に出します。

おえびすだいこく　どっちがよかんべ
どうでもこうでも　こっちがよかんべ
おすすのす

①輪の中におとながひとり入り、歌いながら一人ひとりの握りこぶしをひとさし指で触っていく。歌い終わったときに当たった子がオニになる。

ひとさし指で1・2・3
1
2
3

ポイント

- ●乳児の場合は、膝の上に乗せて、後ろから子どもの手を軽く包むようにして握って前に出して遊びましょう。
- ●人数が多いときは、片手だけを出します。オニを二人決めたいときは、あらかじめ二人組になって手をつなぎ、あいている手を出して遊びます。
- ●オニきめだけでなく、「どっちにしようかな」と何か決めるときの唱えことばに使えます。

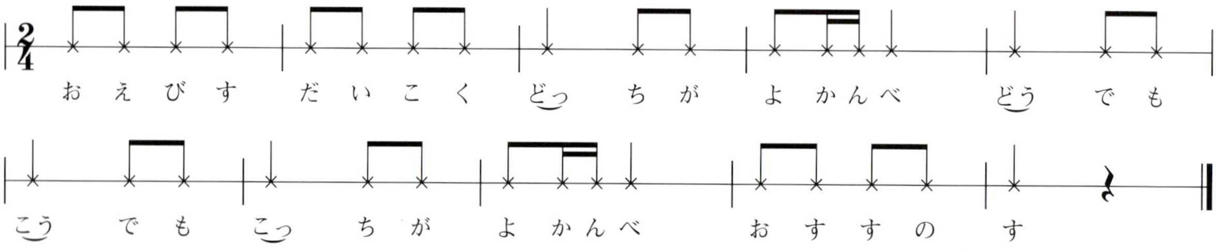
2/4
お え び す　だ い こ く　どっ ち が　よ か ん べ　どう で も
こう で も　こっ ち が　よ か ん べ　お す す の　す

4・5歳児

手あそび ちゃちゃつぼ

手のひらを茶つぼのふたと底に見たてて遊びます。
最後にちゃあんとふたができるかな。

茶
茶
茶

おまけの一言

江戸時代、将軍に献上する新茶を運ぶのに、茶壷を真ん中に「した～にぃ～」と大名行列のように街道を練り歩くのを、「お茶壷道中」と風刺して子どものあそびのなかで歌われ、遊んだようです。

ポイント

●このあそびは、リズミカルな唱えうたに合わせて、手のひらと握りこぶしを交互に替えて茶つぼ、ふた、底にして遊ぶわらべうたです。

ちゃちゃつぼ ちゃつぼ ちゃつぼにゃ ふたがない そことって ふたにしろ

ちゃ

①左手を軽く握って茶つぼにし、右手のひらを上にのせてふたにする。

ちゃ

②その右手のひらを左手の茶つぼの下につけて底にする。

つ

③右手を握って茶つぼにし、左手のひらをふたにする。

ぼ

④その左手のひらを右手の茶つぼの底に持っていく。

ちゃ

⑤1と同じ。

つ

⑥2と同じ。

ぼ　(休み)

⑦3と同じ。そのあと1拍お休みする。(この休みがミソ)

ちゃ

⑧4と同じ。(ここは出にくいので注意！)

つ

⑨1と同じ。

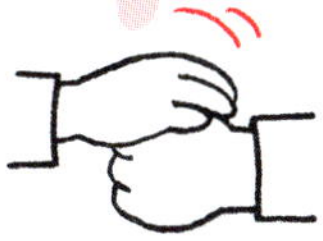

ぼ

⑩2と同じ。

にゃ

⑪3と同じ。

ふた

⑫4と同じ。

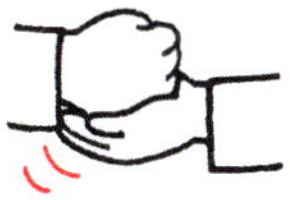

が

⑬1と同じ。

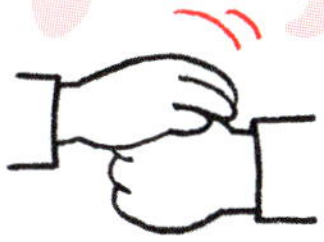

ない　(休み)

⑭2と同じ。そのあと1拍お休みする。(この休みがミソ)

そ

⑮3と同じ。

こ

⑯4と同じ。

とっ

⑰1と同じ。

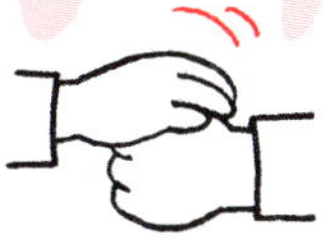

て

⑱2と同じ。

ふた

⑲3と同じ。

に

⑳4と同じ。

しろ

㉑1と同じ。そのまま手で茶つぼにふたをする。

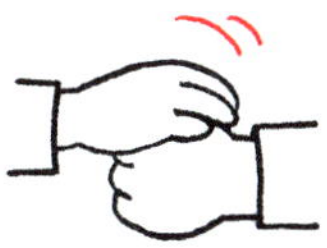

ポイント

- 途中の休みを忘れると、最後のふたができなくなります。
- 最後にふたができたら、めでたしめでたし！です。
- 「そことって」のことばに惑わされずに、「そ」は左手のひらをふたにします。

手あそび

いちにのさん

「にのしの　にのしの……」
あれれ指がこんがらがっちゃった！

おまけの一言

歌詞のとおりの順番で、1から5までの数を指で出す指あそびうたです。おそらく中国伝来の本拳（長崎拳とも）の名残と思われます。

ポイント

- はじめはゆっくり歌いながら遊び、子どもたちが指の番号に慣れてきたら、リズミカルに歌いながら遊んでください。
- 乳児は膝に乗せて、手の指をつまみながら歌ってあげましょう。

いちにの さーん にのしのご さんいち にのしの にのしのご

手の５本の指を、いち→１親指、に→２ひとさし指、さん→３中指、し→４薬指、ご→５小指と、番号で呼んで遊びます。

いち

①左手の指を開いて出し、右手の親指とひとさし指で左手の親指をつまむ。

にの

②ひとさし指をつまむ。

さーん

③中指をつまむ。

にの

④ひとさし指をつまむ。

しの

⑤薬指をつまむ。

ご

⑥小指をつまむ。

さん

⑦中指をつまむ。

いち

⑧親指をつまむ。

にの

⑨ひとさし指をつまむ。

しの

⑩薬指をつまむ。

にの

⑪ひとさし指をつまむ。

しの

⑫薬指をつまむ。

ご

⑬小指をつまむ。

バリエーション

両手のひらを開き、それぞれの指の先をつけて胸の前に出す。「いち」で親指を一度離してまたつける。この要領で、歌いながら指番号のとおり指の頭を離してつけるのを、最後の「ご」の小指まで行う。

ゆっくり歌いながら、指の動きを確認しながら遊んでいくうちに、慣れてきたらテンポをあげて楽しんでみてください。

「にの しの」の指の動きは難しいので、中指の先をつけたままできるようになれば大成功です。

ふたりあそび なべなべそこぬけ

なべの底を、くる～りとひっくり返します。
元に戻るのがた～いへん！

バリエーション

<1～2歳児> 一人なべで遊ぼう

「みんなのおなべで
何を煮ようかな？」
「カレー」
「はい。
カレー作ろうね」

**なべなべそこぬけ
そこがぬけたら**

①両手を体の前で丸くしておなべにし、左右に揺らす。

かえりましょ

②その場でひと回りする。

何回か繰り返して歌い遊んだら、
「煮えたかなー？」
「まだ、にんじんがかたいね」
「もういちど煮ましょう」
と、また繰り返して遊ぶ。
「煮えたかな？」「煮えてるね」
「さあ、おいしいカレーのできあがり。
いただきまーす」

なべ なべ そこぬけ そこが ぬけたら かえりましょ

二人で向かい合って、両手をつないで遊びます。

なべなべ　そこぬけ
そこがぬけたら
①つないだ両手を左右に大きく振る。

かえりましょ
②つないだ手の片方を上に上げて二人でくぐり、背中合わせになる。

なべなべ　そこぬけ
そこがぬけたら
③背中合わせのままで、つないだ手を大きく振る。

かえりましょ
④つないだ手の片方を下げながら、元に戻る。

ポイント

●「かえりましょ」のところは、前向きのときは、「二人でトンネルのぞいて、くぐってね」とアドバイスすると、うまく返れます。
●背中合わせから元に戻るときは、「片方のつないだ手を下にしながら、その肩を見るようにしてね」と声をかけてみましょう。きっとうまく返れますよ。
●親子で遊ぶときは、子どもの身長に合わせて、おとなは膝をついて遊びましょう。背丈の差が大きいので、無理すると子どもの腕が抜けたりすることがあります。注意しましょう。

バリエーション

<3歳児>大きなおなべで遊ぼう

なべなべ　そこぬけ
そこがぬけたら
①輪になって中心を向いて手をつなぎ、つないだ手を前後に大きく振る。

かえりましよ
②つないだ手を離して、外向きになって手をつなぐ。

なべなべ　そこぬけ
そこがぬけたら
③外向きのまま、つないだ手を前後に大きく振る。

かえりましよ
④手を離して、内側を向き、手をつなぐ。

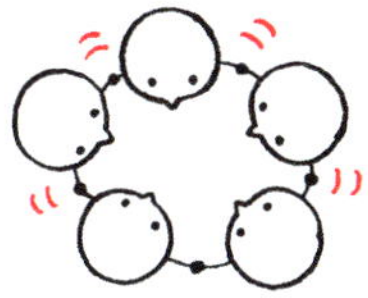
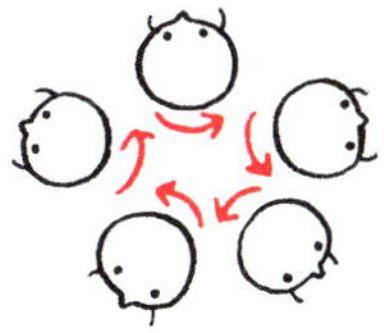
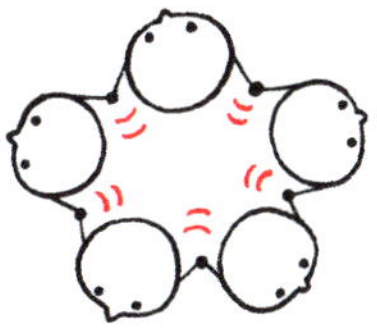

<4〜5歳児>ひっくり返して遊ぼう（親子あそびにも！）

なべなべ　そこぬけ
そこがぬけたら
①輪になって中心を向いて手をつなぎ、つないだ手を前後に大きく振る。

かえりましよ
②つないだ手の一か所の間からくぐり抜けていき、大きななべをひっくり返す。

なべなべ　そこぬけ
そこがぬけたら
③外向きの輪をきれいに調整して大きななべにし、またつないだ手を前後に振る。

かえりましよ
④さっきとは違う場所からくぐり抜けて、元のなべに戻る。

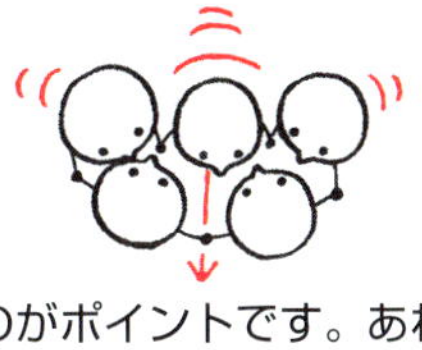
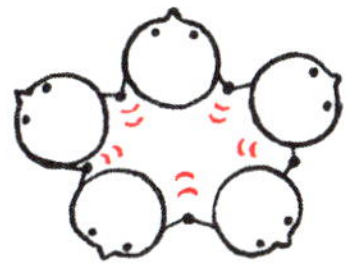
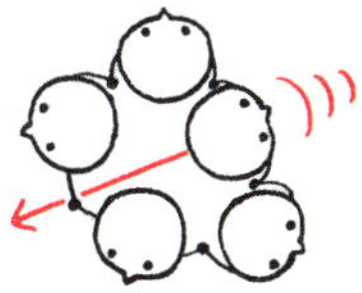

・つないだ手を離さないようにするのがポイントです。あわてずゆっくりとくぐり、後で輪の形を調整するとうまくいきます。
・くぐる場所の両側の子は全員がくぐったあと手を離さず、ひと回りすると元に戻ります。
・年長児クラスで遊んだとき、途中で手を離してしまったり、急いでくぐったりと、失敗の連続でしたが、はじめてできたときは、子どもといっしょに拍手をしていました。

ふたりあそび

さよなら あんころもち

「また明日～」ってバイバイしましょう。
「またきなこ」の掛けことばがおかしすぎ。

おまけの一言

「あんころもち」はあんこのおもちのこと、「またきなこ」はきなこもちのことですが、「またきなこ」には、また来てねの意味があります。

ポイント

●友達と一日たっぷり遊んだあと、別れるのは惜しいけれど、「また明日、遊ぼうね」と顔を見合わせて、無言の約束が込められているほんわかするあそびです。

さ よ な ら あん こ ろ も ち ま た き な こ

さよなら　あんころもち　またきな

①二人で向かい合って両方の手をつなぎ、左右に揺する。

こ

②お互いの顔を見合って、「また明日ね」とことばには出さないが、約束する。

ポイント

●幅広い年齢で遊べます。一日の保育のしめくくりとして、ひとりずつ手をつないで歌っていると、「今日一日、楽しく過ごせたかな？」と保育を振り返ることにも役だちます。

バリエーション

二重円になり、内側の円の子は外側を向き、二人向かい合って遊ぶ。１回歌い終わったら、外側の輪の子は、最後の休符で右に移動してパートナーを替え、またはじめから歌って遊ぶ。

異年齢で遊ぶときは、内側の円に小さい年齢の子を入れて、年長児が動くようにすると、いっしょに遊べます。

<2歳児からは>

輪になって手をつなぎ、つないだ手を前後に振りながら、歌う。

輪になって

どんどんばし わたれ

「れ」で橋が降ろされます。
橋を渡るときにはドキドキしちゃ〜う。

おまけの一言

「どんどんばし」は板橋をどんどんと踏んで渡ること、「こんこ」はキツネのことです。
これは、江戸後期から歌われていた「板渡りあそび」のうたで、子どもたちが細い板などの上を渡って行き来しながら歌うものです。

どん どん ば し わ た れ さあ わ た れ
こん こ が で る ぞ さあ わ た れ

二人組になって手をつなぎ、輪をつくります。
橋になる組を決めたら、向かい合って両手をつないで高く上げて橋をつくりましょう。

どんどんばしわたれ　さあわたれ
こんこがでるぞ　さあわた

①歌いながら、二人で手をつないで橋の下をくぐっていく。

れ

②橋の二人が手を降ろし、そこにかかった二人が次の橋になり、交替する。

ポイント

- 親子あそびや、異年齢でのあそびにもぴったりです。
- 乳児も混ざって遊ぶときは、橋にかかっても交替せずに、あそびを楽しんでもらいましょう。

バリエーション

橋にかかっても、交替しないで、橋を増やしていくと、どんどん橋が長く伸びていく。

長い橋になると、一度にたくさんの組がかかります。

<2～3歳児には>
おとなとひとりの子どもが橋になって片手をつなぎ、歩いてくぐる子どもたちと向かい合うように立つ。

「れ」で橋を降ろし、かかった子は交替しておとなと橋になる。

輪になって

たまりや たまりや

ヒールタッチで足をそろえるところがミソ。
息をぴったり合わせよう！

たまりや　たまりや
おったまり

①輪になって手をつなぎ、輪の中心に向かって歌いながら、リズムに合わせて７歩前進して止まる。「り」で軽くヒールタッチして両足をそろえる。

ぬけろや　ぬけろや
ねずみさん

②外側に向かって、７歩後退しながら歩いて止まる。最後の「ん」で、軽くヒールタッチして両足をそろえる。

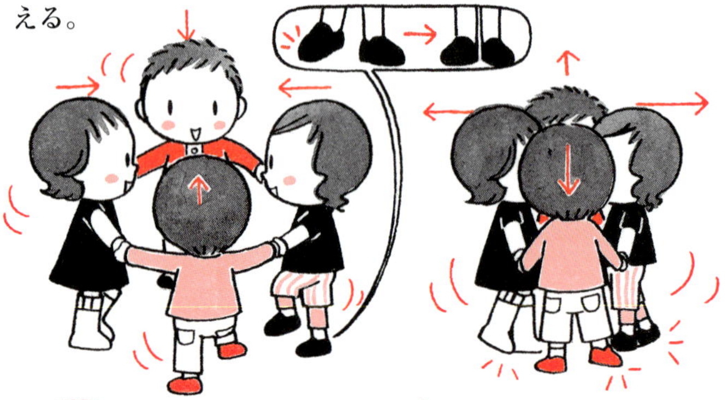

たまりや　たまりや
おったまり

③手をつないだまま、右回りに７歩進み、止まってヒールタッチする。

ぬけろや　ぬけろや
ねずみさん

④左回りに７歩進み、止まってヒールタッチする。

前後、左右と繰り返して、みんなのリズムがそろって気持ちが盛り上がってきたら、合図をして終わりにする。

ポイント

●単純なあそびですが、みんなの息がぴったり合うと、興奮してテンポがどんどん早くなります。最後の休符で足をタッチしてそろえ、顔を見合わせ、息をそろえてから、次のうたに入るように意識して遊びましょう。

たまりや　たまりや　おったまり
（4回くりかえす）
ぬけろや　ぬけろや　ねずみさん

バリエーション

あそびに慣れてきて、歌いかたも身についてきたら、二重の円になって遊んでみましょう。

二重円になり（内側の輪は1人か2人少なく）、輪になって手をつなぐ。

＜1回目＞
①二重円のまま中心に向かって前進し、後退する。輪がしぼんだふくれたりする。

＜2回目＞
②左右に歩く。外側と内側の輪は、逆方向に歩くようにする。

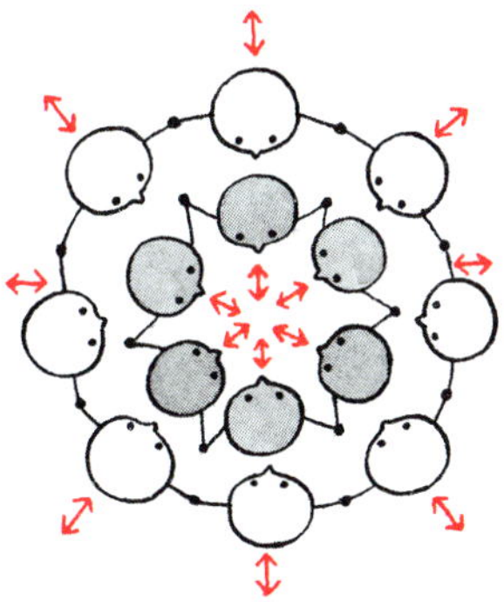

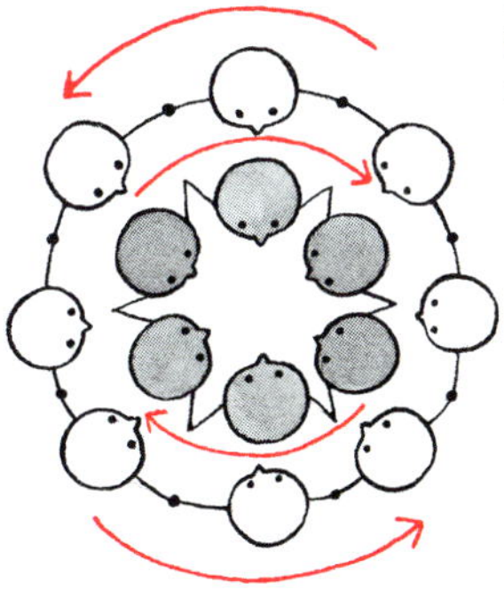

＜3回目＞

たまりや　たまりや　おったまり

③内側の輪の子は、手を離して小さくなり、7歩後退してヒールタッチで止まる。
外側の輪の子は、つないだ手を高く上げてアーチにしながら7歩前進し、ヒールタッチして止まる。

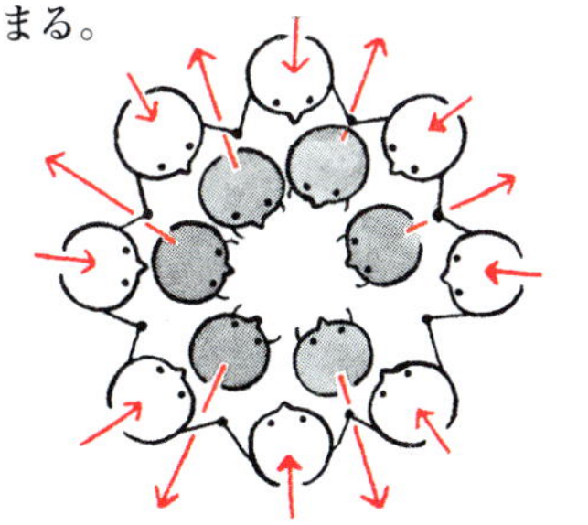

ぬけろや　ぬけろや　ねずみさん

外側の輪になった子は、手をつないで高く上げ、アーチをつくりながら前進する。
内側の輪になった子は、手を離して小さくなりながら後退する。

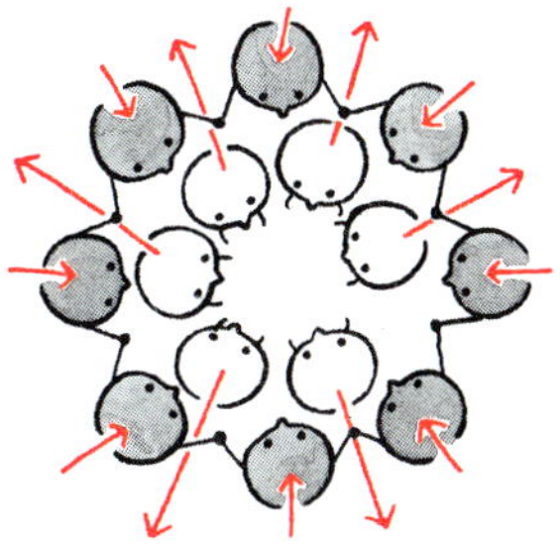

＜4回目＞3回目の反対で遊ぶ

たまりや　たまりや　おったまり

④内側の輪の子は、つないだ手を高く上げてアーチをつくりながら後退する。
外側の輪の子は、手を離して小さくなりながら、アーチをくぐり前進する。

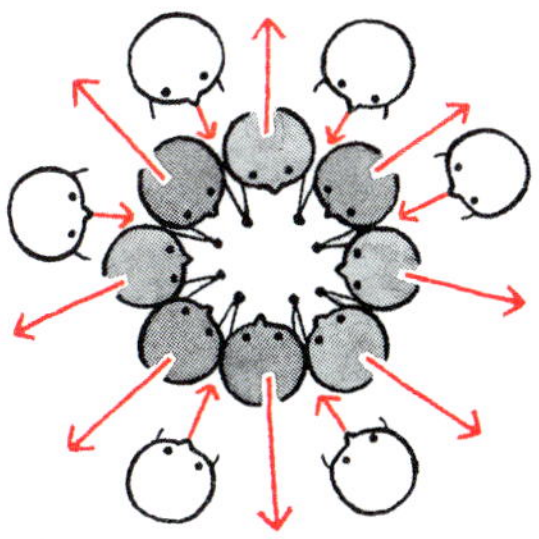

ぬけろや　ぬけろや　ねずみさん

内側の輪になった子は、手をつないで高く上げ、アーチを作りながら後退する。
外側の輪になった子は、手を離して小さくなりながら、アーチをくぐって前進する。

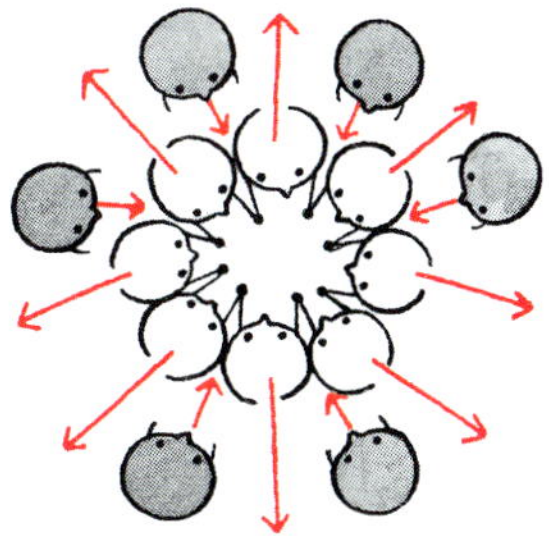

ちょっと複雑な動きですが、一重円で前後、左右の動きでいっぱい遊び、リズミカルに歩くこと、8拍目の休符できちんとヒールタッチでそろえることができれば、楽しく遊べます。
親子あそびにもぴったり！　おとなも盛り上がって楽しめます。

タッチ

0歳児
1歳児
2歳児
3歳児
4・5歳児

輪になって おちゃをのみに

「いろいろおせわになりました」でオニが交替！
ゆったりリズムを感じながら楽しめます。

おまけの一言

元は、「おじょうさん　おはいり」で親しまれているなわとびあそびと、同じ遊びかたで遊ばれたわらべうたです。

2/4
お ちゃ を の み に き て く だ さい はい こん に ち は
いろいろ おせわに なりまし た はい さようなら

オニきめで一人オニになる子を決めます。ほかの子は輪になって手をつなぎ、オニは輪の中に入ります。

おちゃを　のみに　きてください

①輪になっている子は手をつないで右に6歩歩く。オニは輪と反対側に左に6歩歩く。「さい」で全員止まる。

はい　こんにちは

②オニと向かい合った子と、オニは、「こんにちは」とおじぎをする。

いろいろ　おせわに　なりました

③向かい合った二人は、両手をつないで半周回り、内側と外側を交替する。輪になっている子は、つないだ手を離して拍手を7回する。

はい　さようなら

④輪になっている子が拍手をしているなか、向かい合った二人は手を離しておじぎをし、オニを交替する。

ポイント

- ゆったりと歌いながら、みんなでリズムを感じながら歩いて遊びます。
- 慣れるまでは、おとながオニ役になって繰り返し遊んでみましょう。

バリエーション

人数が多いときは、オニ役を増やして遊びましょう。
（10人～15人にオニ役がひとり）

おまけの一言

おじいちゃん、おばあちゃんと遊ぶ会のときに、このあそびで遊んだことがあります。ゆっくりとしたテンポで動きも簡単なので、その場で楽しく遊ぶことができました。

ままごとあそびをしている3歳児が、「おちゃをのみに……」と歌いながら遊び、お客さんになってくれる人を呼び込んでいました。「はい　こんにちは！」と保育者がお邪魔すると、ケーキとコーヒーをごちそうしてくれ、「いろいろ　おせわになりました」とお礼を言って帰っていくあそびがはやったことがあります。

わらべうたあそびの一節が日常のあそびのなかで再現され、伝承されていくことを願っています。

輪になって あぶくたった

「とんとんとん」「なんの音？」
想像力豊かな掛け合いが広がります。

おまけの一言

遊びかたも唱えかたも、地方によっていろいろ違っているあそびです。異年齢で遊びながら毎年はやり、子どもたちがいきいきとしています。
「あぶくたった」は小豆がぐつぐつにえているようすのことです。

あぶくたった　にえたった
にえたかどうだか
たべてみよ　むしゃむしゃむしゃ
まだにえない
もうにえた

輪になって中心を向いて手をつなぎ、オニは輪の中心でしゃがみます。

あぶくたった　にえたった
にえたかどうだか　たべてみよ

①歌いながら、右回りに歩いて止まる。

むしゃ　むしゃ　むしゃ

②手を離してオニのそばに寄り、オニの頭を触りながら、食べるまねをする。

まだにえない

③輪に戻る。

あぶくたった　にえたった
にえたかどうだか　たべてみよ

④1と同じ。

むしゃ　むしゃ　むしゃ

⑤2と同じ。

もうにえた

⑥オニの頭から手を離しながら、みんなで歌う。
ここから、唱えことばになります。

＜唱えことば＞

戸棚にいれて

⑦オニをみんなで抱えるようにして、戸棚に見たてたところに移す。

鍵をかけたら
がちゃがちゃがちゃ

⑧鍵をかけるまねをして、戸棚の前から元の場所に戻る。

おふろにはいって
じゃぶじゃぶじゃぶ

⑨体を洗うまねをする。

ごはんをたべて
むしゃむしゃむしゃ

⑩ごはんを食べるまねをする。

お布団敷いて
さあねましょ

⑪布団を敷くしぐさをし、両手を合わせて片方のほおに当てて寝るまねをする。

とん　とん　とん

⑫オニはみんなのそばに来て、「とんとんとん」と言いながら、ドアをノックするまねをする。

なんのおと？

⑬みんなが聞き、オニが「水の音」と言うと、みんなは「あーよかった」と答える。このやりとりを繰り返す。

「とんとんとん」「なんの音？」「○○の音」「あーよかった」をしばらく繰り返す。オニは「風が吹いている音」「自転車の通る音」「雨が降っている音」など、いろいろ考えて言い、そのたびに「あーよかった」とみんなが答える。

おばけのおと

⑭オニが「おばけの音」と言ったら、みんなは逃げ、オニは追いかける。

つかまった子が次のオニになる。

ポイント

- 遊びはじめは、やりとりがなかなかスムーズにいかないこともありますが、繰り返して遊ぶうちに、唱えことばのような掛け合いが、子どもたちの気持ちを盛り上げて夢中にしてくれます。
- このあそびは、劇あそびのように場面が3つになります。歌うところははじめだけで、あとはオニとほかの子とのやりとりになり、オニごっこの要素も含まれている大がかりなあそびです。最後まで遊ぶと10分くらいはかかりますが、子どもたちは、その役になりきって遊びます。できるだけ時間をたっぷりとり、遊び込めるようにしましょう。いっしょに遊ぶおとなも、根気と想像力が必要です。異年齢で遊ぶと、2～3歳児でも混ざって遊べます。

輪になって ことしの ぼたん

ことばのやりとりがとっても楽しいんです。
輪になったり縦になったり、忙しいのもオモシロイ。

A 輪になってしぐさで遊ぶ。

オニになる子を決め、ほかの子は輪になる。オニは輪の外。

1 せっせっせーの よいよいよい

①輪になって手をつなぎ、つないだ手を前後に振る。

2 ことしの ぼたんは よいぼたん

②手をつないだまま、右回りに歩く。オニは輪の外で見ている。

3 おみみを からげて

③つないだ手を離し、両耳のそばで、ひとさし指をぐるぐる回す。

4 すっぽん ぽん

④両手を上下にこすり合わせるように、3回たたく。

5 もひとつ おまけに すっぽん ぽん

⑤3と4を繰り返す。

＊ここから、オニと子どもたちのやりとりになる。

ことしの　ぼたんは ～すっぽん　ぽん

⑥2～5を繰り返す。

B またセリフのやりとりをする。

C 輪から群れに場面が変わる。オニの後ろから子どもたちが語りかけながらついていく。

⑦子どもたちはオニの後ろから歩き、手拍子ではやしたてながら言う。

⑧オニは、振り返って指さして聞く。

⑨子どもたちは、手や首を振って「違う」と答える。

⑩7、8、9を何回か繰り返す。

⑪子どもたちは「そう！」と言って逃げる。オニは追いかけてつかまえる。

つかまった子が次のオニになる。

ポイント

- 友達とのあそびが楽しくなるころがおすすめ！
- Aのしぐさを楽しむ部分、Bのオニとの言葉のやりとりを楽しむ部分、Cの群れてのうた問答と、変化のあるあそびです。
- お昼ごはんのおかずを聞かれて「へびとかえる」と答えるところが、昔話のようで、子どもたちをわくわくさせてくれます。
- 異年齢で遊び、各園で遊び継がれていくと、おとながかかわらなくても遊べるようになります。

輪になって からすかずのこ

カッパの親分！　聞いただけでおもしろそう～。
おしりをたたくのもゆかいです。

オニきめで、カッパの親分になる子を決めます。ほかの子は輪になって手をつなぎましょう。

からすかずのこ　にしんのこ
おしりを　ねらっ

①かっぱの親分は輪の外側を歌いながら歩き、輪の子は手をつないで歌う。

オニ

て

②カッパの親分は止まる。

ピタッ

かっぱのこ

③カッパの親分は、そばの子のおしりを軽く３回たたく。たたかれた子は輪から抜けて親分の前に立ち、親分役になる。

繰り返し歌って遊び、輪になっていた子がひとりになったら、カッパになった子がみんなでその子のおしりを軽くたたき、カッパの親分を交替する。

みんなで
たたく
ヒャッ

ポイント

●だれもがカッパの親分になれて、友達のおしりをたたくことができるので、楽しめます。
●あそびが興にのってくると、テンポが早くなるので、ゆっくり、ゆったりと歌って遊べるように、リードしていきましょう。
●紙皿やフェルトなどでカッパのお皿を作り、最初のカッパの親分にかぶせてあげると、雰囲気が盛り上がります。

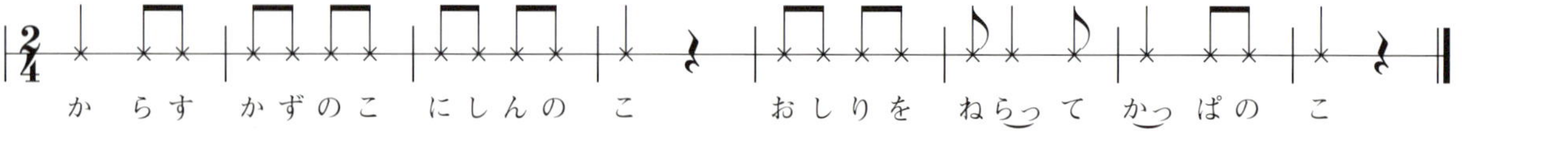

2
4
か　らす　かずのこ　にしんの　こ　おしりを　ねらって　かっぱの　こ

輪になって

かわのきしのみずぐるま

「いちにっさん」で二人組になるよ。
ほ〜ら、急いで友達探さなくちゃ。

奇数の人数で遊びます。みんなで輪になって手をつなぎましょう。

かわのきしの　みずぐるま
①右回りに８歩歩く。

ぐるっとまわって
②左へ８歩歩く。

いそいでふたりづれ
③右へ８歩歩く。

のこりはおによ
④左へ７歩歩いて、８歩目で止まる。

いちにっさん
⑤手を離して拍手を３回し、両どなり以外の子と二人組になり、手をつないでしゃがむ。

となりの子はNG

一人残った子がオニになり、２回目からは輪の中に立つ（水車の軸）。オニは手をたたきながら、あそびをリードする。子どもたちはオニのリードと手拍子に合わせて、早く歌ったりゆっくり歌ったりする。

「いちにっさん」でオニはだれとでも手をつなぐことができます。

ポイント

●2〜3歳児や、慣れるまでは、偶数人数で遊び、必ずだれかと二人になれるようにしましょう。歌いかたや歩きかたに慣れるまでは、このあそびで十分楽しんでください。

か わ の き し の み ず ぐ る ま ぐ る っ と ま わっ て い そ
い で ふ た り づ れ の こ り は お に よ い ち にっ さん

0歳児
1歳児
2歳児
3歳児
4・5歳児

輪になって

おじいさん おばあさん

つえを持って、腰をかがめれば……。
ほ～ら、おじいさん、おばあさんのできあがり。

オニきめでオニをひとり決めます。ほかの子は輪になって内側を向いて立ちましょう。
オニはつえになるものを持ち、片手を腰におき、体をかがめて歩きます。

おじいさん　おばあさん
なにくって　かがんだ

①みんなが歌う。オニは輪の中に入り、つえをつきながらうたに合わせて歩いて止まる。

えびくって　かがんだ

②オニは自分の前の子に向かって歌う。

えびくって　かがんだ

③みんなで歌い、オニはつえを目の前の子に渡して交替する。

ポイント

- ゆっくりゆっくり歌いながら、繰り返し遊んでください。
- つえは、新聞紙を丸めて作ったり、適当な木の枝などを利用したり、くふうしてください。
- つえの「こつこつ」の音も、なかなかいいものですよ。

おじいさん　おばあさん　なにくって　かがんだ　えびくって　かがんだ

輪になって つるつる

「つるつる〜」と歌いながら、うずをつくります。
うずをほどくときが、た〜いへん！

①おとなが先頭になって手をつなぎ、輪になって尻尾の子と隣どうしになる。先頭は列の内側に沿って歌いながらうずを巻くように歩く。みんなを引っぱるように、うたに合わせてしっかり歩き、みんなは引っぱられたら歩き始める。うずが巻けるまで、歌って歩く。

となりの子が
動きだしたら
動く。

②うずが巻けたら、先頭が「とーまーれ」と声をかけて止まる。今度は、うずから元の輪に戻していく。尻尾の子から反対方向に歌いながら歩く。内側の先頭は小さく足踏みしながらうずがとけていくのを待つ。

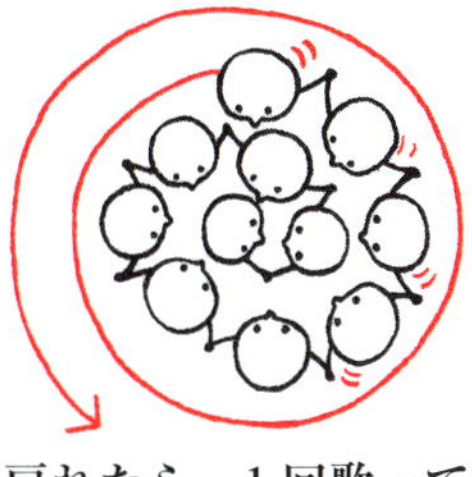

同様に
となりの子が
動きだしたら
動く。

元の輪に戻れたら、１回歌って終わりにする。

うずまきあそびに入る前に、手をつないで１列になって歌いながら歩くと、うたとリズムに慣れてきます。（うねうね歩きや円になって）

ポイント

- ●先頭の役は難しいので、幼児の場合は、おとなが先頭になって、うずの巻きぐあいをコントロールしながら遊びましょう。
- ●うずをほどくときは、尻尾の子から歩き出し、うずの中でおとなが足踏みしながら子どもに合わせて歩調を変えていくと、うまくいきます。

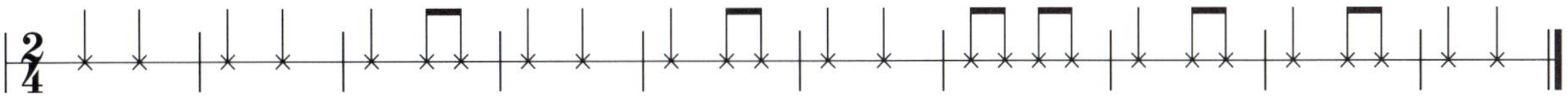

しぐさあそび

はやしのなかから

ゆかいな登場人物がたくさん出てきます。
まねするのって、とっても楽しい！

ポイント

- 子どもたちに人気のじゃんけんあそび。はじめにおばけが出て盛り上がります。
- リズミカルに弾んで歌いながら遊びましょう。
- 最後にするじゃんけんがあいこのときは、勝負が決まるまでじゃんけんします。
- 二人で遊ぶのが基本ですが、おとなと子どもたちおおぜいでも遊べます。この場合は、拍手の次に相手の手に合わせるところを、両膝打ちに替えて遊びます。

2/4
はやしの なかから おばけが にょーろにょろ おばけの あとから とうふやさんが ぷーぷー
とうふやさんの あとから こぶたが ぶーぶー こぶたの あとから こどもが じゃんけんぽん

せっせっせーの

①二人向かい合って手をつなぎ、上下に3回振る。

よいよいよい

②手をつないだまま交差して、上下に3回振る。

はやしのなかから　おばけが

③両手を水平にして重ね、1拍目は自分で拍手、2拍目で相手の手の上に合わせて拍手する。これを繰り返す。

にょーろ　にょろ

④両手を前にたらして、おばけのまねをする。

おばけのあとから
とうふやさんが　ぷーぷー

⑤3を繰り返してから、片手を口元に持っていってラッパを吹くまねをする。

とうふやさんのあとから
こぶたが　ぶーぶー

⑥3を繰り返してから、片手のひとさし指で鼻の頭を上に向ける。

こぶたのあとから
こどもが　じゃんけんぽん

⑦3を繰り返してから、二人でじゃんけんをする。

バリエーション

「こぶたのあとから」のあとにいろいろな登場人物を増やして、しぐさあそびを楽しんでみましょう。

こぶたのあとから
おまわりさんが　えっへんおっほん

⑦3を繰り返してから、右手のひとさし指で右ほおにピンとひげをつくり、左手のひとさし指で左ほおにひげをつくる。

おまわりさんのあとから
おすもうさんが　どすこいどすこい

⑧3を繰り返してから、両手でにぎりこぶしをつくり、脇に降ろして、肩を上下させる。

おすもうさんのあとから
おーひめさまが　おほほおほほ

⑨3を繰り返してから、手のひらを返して口元に持っていく。左右1回ずつ。

おーひめさまのあとから
おぼうさんが
なんまいだーなんまいだー

⑩3を繰り返してから、両手を合わせて拝むしぐさをする。

おぼうさんのあとから
おそばやさんが　ちりんりんちりりん

⑪3を繰り返してから、昔の出前のように、片手を肩のところに上げて手のひらを上にする。左右1回ずつ。

おそばやさんのあとから
こどもが　じゃんけんぽん

⑫じゃんけんをする。

となえことば

でんでらりゅうば

口がこんがらがっちゃうけれど、それはそれでオモシロイ。
最後まで歌えたときの喜びはひとしおです。

でんでらりゅうば　でてくるばってん
でんでられんけん　こられんけん
こんこられんけん　こられられんけん　こんこん

①はじめはゆっくり歌い、１回歌うごとに、テンポを早くしていく。

で〜んでら〜 りゅう〜ば〜
でて〜くる〜 ばって〜ん
どんどんはやくなると………
でんでら〜りゅうばば
ででくるばっ
でてくるばってん
こん
こん
こん
こら
れれれ
けけ け
んん
んん
ででで〜でら こられれ

繰り返していくうちにどんどん早くなり、しまいに口が回らなくなります。

でん で らりゅう ば で て く る ばっ てん でん で ら れん けん
こ られん けん こん こ られん けん こ ら れ られん けん こん こん

ポイント

- 唇をはっきり開け閉めして、発音もはっきりしないと、何を言っているのかわからなくなるので、慣れるまでは、ゆっくり唱えて、ことばを覚えてしまいましょう。
- みんなの息がぴったり合って最後まで唱えられたら、「やったー！」と喜びもいっぱいです！

おまけの一言

九州・長崎地方で歌われたわらべうたです。

♪ **でんでらりゅうば**	出られるなら
♪ **でてくるばってん**	出て行くけれど
♪ **でんでられんけん**	出られないから
♪ **こられんけん**	行きません
♪ **こんこられんけん**	来られないから
♪ **こられられんけん**	来られないから
♪ **こんこん**	来ませんよー

長崎を中心に九州地方に流行し、それぞれの方言にアレンジされて広く全国的に分布することばあそびうたです。福岡では、手まりうたとしても歌われました。

長崎では、「でらりゅうば」とは「出られるならば」の古い言い方で、最初の「でん」はリズムを整えるための接頭語、「ばってん」は「〜だけども」の意味です。また、「来る」は「行く」の意味で使われます。

でんでら
りゅうば

バリエーション

<追いかけっこで歌おう>（輪唱）

①2グループか3グループに分けて、「でんでらりゅうば　でてくるばってん」と1グループが歌ったら、2グループが「でんでらりゅうば　でてくるばってん」、次は3グループと追いかけっこをしながら、2回歌う。最後は1グループから歌い終わっていく。

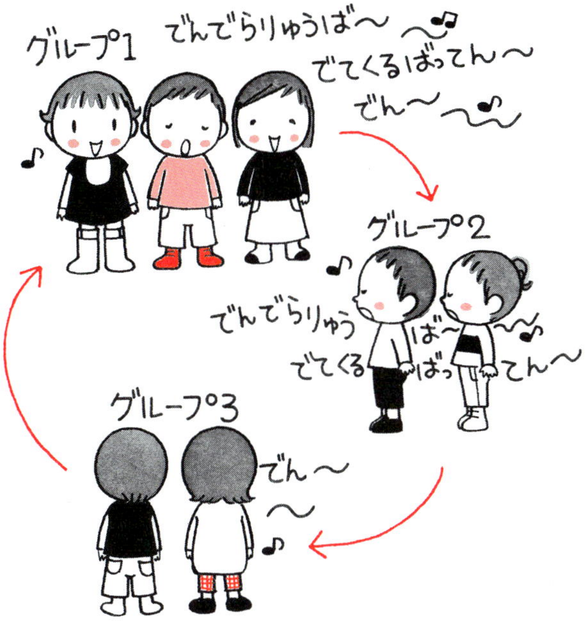
グループ1
でんでらりゅうば〜
でてくるばってん〜
でん〜
グループ2
でんでらりゅう
ば〜
でてくる
ばっ
てん〜
グループ3
でん〜

オニきめ

とんぼや とんぼ

「とんぼやとんぼ……」とゆったりオニを決めましょう。
トンボになって遊ぶのも楽しいよ。

両手を握りこぶしにして、前に出します。

とんぼやとんぼ　むぎわらとんぼ
しおからとんぼ　ひなたはあつい
こちゃきてとまれ

①ひとさし指で、握りこぶしの上を2拍子のリズムで触っていく。最後の「れ」のところで触られた子がオニになる。

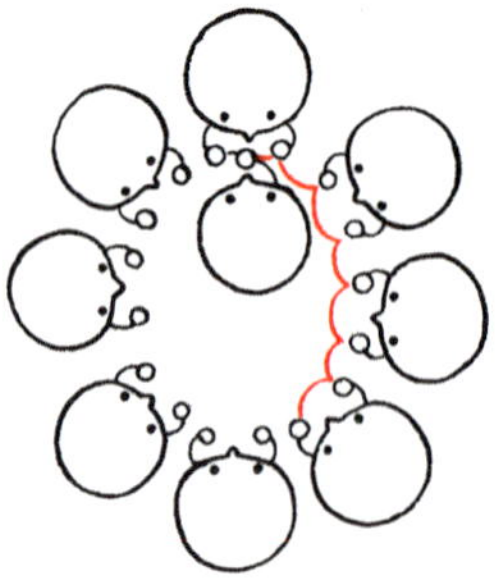

バリエーション

輪になって内側を向き、おとなはトンボになって輪の中に入る。「とんぼやとんぼ」と唱えながら、羽を広げて輪の中をあちこち飛び回り、最後の「れ」で子どもに止まる。止まられた子が次のトンボになる。

折り紙かハンカチでトンボを作り、トンボが見えるようにゆっくりと左右に振りながら唱え、最後の「れ」で子どもに止まる。止まる場所は好きなところ。

ポイント

●リズムをしっかり刻み、早くならないように気をつけましょう。

と ん ぼ や と ん ぼ　む ぎ わ ら と ん ぼ
し お か ら と ん ぼ　ひ な た は あ つ い　こ ちゃ き て と ま れ

こもりうた

ねむれねむれねずみのこ

せつないメロディーが眠りを誘ってくれます。
ゆるゆるした時間を過ごせますよ。

おまけの一言

日本のこもりうたは、昔は姉妹の上の姉が弟や妹をおんぶして、こもりをしながら歌ったり、思春期の女子が家から奉公に出されて、奉公先の赤ちゃんのおもりをしながら歌ったと聞いています。どの曲も哀愁を帯びていて、遠い故郷を思い、恋しい人に会いたい気持ちを込めた詩とメロディーで、繰り返し歌われます。赤ちゃんを寝かしつけるというよりも、こもりをしている人の心情が伝わってきます。日本の昔の子育て事情が垣間見られるようですね。現代の子育てはこもりうたを歌ってもらった経験のないおとなが、保育をし、親になっています。こもりうたをもう一度見直し、歌ってみてください。短調で暗い感じがすると敬遠されがちですが、子どもが寝入るときのちょっとの時間をゆるゆるした気持ちにさせてくれます。

子どもを寝かしつけるときに歌ううたは、こもりうたでなくても、自分の好きなうたでもいいと思います。私の母はミッションスクール出身でしたので、いつも歌ってくれたのは賛美歌でした。こもりうたは幼い心と体のなかに記憶としてしっかり刻まれていくのです。子どものかたわらに添うおとなが、心を込めて歌ってあげるこもりうたは、どうぞあなたの好きなうたで！

ね むれね むれ ねずみのこ うっ つけうっつけ うさぎのこ な くなな くな
なすびのこ ぼう やがねむった あとからは う らのや まの やまざるが
いっぴきとんだら みなとんだ そらそらね むれ ね むれよ そらそらね むれ ね むれよ

さくいん（曲名五十音順）

た

な

は

ま

さくいん（歌いだし五十音順）

た

な

は

ま

あそびの区分早見表

	ページ	曲目	あそびの区分：顔あそび	布あそび	膝乗せあそび	手あそび	ふれあいあそび	ふたりあそび	しぐさあそび	オニきめ	輪になって	となえことば	こもりうた	対象年齢のめやす：0歳児向き	1歳児向き	2歳児向き	3歳児向き	4・5歳児向き	異年齢にも	あそびの形態：子ども一人で	子ども二人で	おとなと二人で	グループで	親子にも
0歳児	8	いない　いない　ばあ	●	○										0								●		親
	10	おでこさんを　まいて	●											0								●		親
	12	にんどころ	●											0								●		親
	14	べろべろ　おばけ		●										0								●		親
	16	ちょち　ちょち　あわわ			○	●								0								●		親
	18	ちゅちゅ　こっこ　とまれ		○	○	○	●							0								●		親
	20	いちり　にり　さんり				○	●							0								●		親
	22	おやゆび　ねむれ		○	○	○							●	0								●	●	親
	24	ぼーず　ぼーず					●					○		0								●		親
1歳児	26	だるまさん　だるまさん	●		○										1							●		親
	27	でこちゃん　はなちゃん	●												1							●		親
	28	おでんでんぐるま			●		○								1		3	4・5				●	●	親
	30	どっちん　かっちん			●				○						1							●	●	親
	32	ここは　てっくび			○	●						○			1		3	4・5				●	●	親
	34	げんこつやまの　たぬきさん				●									1	2	3	4・5				●		親
	36	ずくぼんじょ			○	●			○					0	1							●	●	親
	38	せんべ　せんべ　やけた			○	●				○	○			0	1							●	●	親
	39	どのこが　よいこ								●					1								●	
	40	うさぎ　うさぎ		○								●			1							●	●	親
2歳児	42	あずきっちょ　まめちょ						○	●		○					2		4・5		●	●	●	●	親
	44	もちっこ　やいて				●										2						●	●	親
	46	どどっこ　やがいん			○	●			○					0		2						●	●	親
	48	こどもと　こども				●										2						●		親
	50	にほんばし　こちょ　こちょ				●	○									2						●		親
	52	おてらの　おしょうさん				○		●								2						●		親
	54	ぎっこ　ばっこ　ひけば			○			●						0	1	2					●	●		親
	56	あのこ　どこのこ						●	○							2					●	●	●	親
	58	いっちく　たっちく				○				○		●				2						●	●	親
	60	ねんねん　ねやま											●			2						●	●	親

	ページ	曲目	あそびの区分 顔あそび	布あそび	膝乗せあそび	手あそび	ふれあいあそび	ふたりあそび	しぐさあそび	オニきめ	輪になって	となえことば	こもりうた	対象年齢のめやす 0歳児向き	1歳児向き	2歳児向き	3歳児向き	4·5歳児向き	異年齢にも	あそびの形態 子ども一人で	子ども二人で	おとなと二人で	グループで	親子にも
3歳児	62	くまさん　くまさん						○	●		○						3	4·5		●	●	●	●	親
	64	たけのこ　めだした						○	●		○					2	3	4·5	異		●	●	●	親
	66	うちの　うらの				○			○		●						3			●			●	親
	68	ぶー　ぶー　ぶー							○		●					2	3						●	親
	70	もぐらどん									●						3	4·5					●	親
	72	おせよ　おせよ					●	○									3	4·5			●	●	●	親
	74	いもむし　ごろごろ							●								3						●	
	75	たこ　たこ　あがれ							●								3			●	●	●	●	親
	76	おえびす　だいこく			○					●	○	○		0	1	2	3				●	●	●	親
4·5歳児	78	ちゃちゃつぼ				●												4·5		●	●	●	●	親
	80	いちにの　さん			○	●								0	1	2		4·5		●		●		親
	82	なべなべ　そこぬけ						●	○		○	○			1	2	3	4·5		●	●	●	●	親
	84	さよなら　あんころもち						●			○	○				2	3	4·5	異		●		●	
	86	どんどんばし　わたれ									●					2	3	4·5	異				●	親
	88	たまりや　たまりや									●							4·5					●	親
	90	おちゃを　のみに									●							4·5					●	親
	92	あぶくたった									●	○				2	3	4·5	異				●	親
	94	ことしの　ぼたん							○		●	○						4·5	異				●	親
	96	からすかずのこ					○				●							4·5					●	親
	97	かわのきしの　みずぐるま									●					2	3	4·5					●	親
	98	おじいさん　おばあさん									●							4·5					●	親
	99	つる　つる									●							4·5					●	親
	100	はやしの　なかから						○	●									4·5			●		●	親
	102	でんでら　りゅうば										●						4·5		●			●	親
	104	とんぼやとんぼ								●	○							4·5					●	親
	105	ねむれ　ねむれ　ねずみのこ											●					4·5				●	●	親

● 「あそびの区分」は、本誌掲載のあそびの区分によるものです。小さいマークは、バリエーションなどで紹介したものを挙げています。
● 「対象年齢の目安」は、あくまでも目安なので参考にしてください。薄いピンクのマークは、バリエーションなどで紹介したものを挙げています。
● 「あそびの形態」は、よりふさわしいと思われるものを挙げています。「親子にも」の濃いピンクのマークは、園での親子あそびに最適なものです。
● 「対象年齢の目安」「あそびの形態」は、めやすとして掲載しましたが、これにこだわらず、いろいろな形であそびが広がることを願っています。

編著者紹介

久津摩 英子・くづま えいこ

2000年3月に川崎市の公立保育園を退職後、2年間、児童館で親子あそびの指導に携わる。在職中から、保育雑誌への執筆や保育者研修会での講師を務めていたが、2002年春からそれらの活動を本格的に開始。

子どもとことば研究会会員。各地の保育園・子育て支援センターでわらべうたの指導に携わる。保育歴35年。川崎市在住。

表紙·扉·本文デザイン●永田デザイン事務所
表紙・本文イラスト●くすはら順子
本文イラスト●三浦晃子、森田雪香
楽譜版下●株式会社クラフトーン
編集協力●東條美香
編集担当●石山哲郎、平山滋子

参考文献

『日本のわらべうた・室内遊戯歌編』尾原昭夫編著（社会思想社）
『日本のわらべうた・戸外遊戯歌編』尾原昭夫編著（社会思想社）
『遊びとわらべうた』永田栄一著（青木書店）
『日本わらべ歌全集6下』尾原昭夫著（柳原書店）
『日本わらべ歌全集8』小野寺節子・斎藤紀子著（柳原書店）

赤ちゃんから遊べる わらべうたあそび55

2007年３月　初版第１刷発行
2021年12月　　　第12刷発行

編著者　久津摩英子　©EIKO KUZUMA 2007
発行人　大橋 潤
発行所　株式会社チャイルド本社
〒112-8512　東京都文京区小石川5-24-21
電話03-3813-2141（営業）　03-3813-9445（編集）
振替00100-4-38410
印刷所　共同印刷株式会社
製本所　一色製本株式会社
ＩＳＢＮ　978-4-8054-0088-3　C2037
ＮＤＣ　376　24×21cm　112P